七彩童书坊

QICAITONGSHUFANG

# 上下五千年 上

## 中国孩子喜爱的珍藏读本

SHANGXIA WUQIANNIAN

改编/幼狮文化　插图/贝贝熊工作室

浙江少年儿童出版社

编者的话

# 给孩子一个七彩的童年

童年是人生中最天真烂漫、最美好珍贵的时光。在这段时光里，阅读更是不容错过的人生经历。许多年后，当孩子们回忆起童年时光，在心灵的某一个角落，会有一种特别的感受让他们心生温暖，久久回味。

那是一种感动，是童年阅读所产生的纯真而美好的感动。稚嫩的童心如此敏感，它能将自己所感受到的丝丝震颤都深深铭刻在记忆的神经上，生发出许多快乐、忧伤、开心、苦恼的情绪，渲染着孩子们心灵的天空，并幻化出恒久的五彩斑斓。哪怕岁月流逝，孩子们已经日渐长大，这一份感动依然会深深地留存心底，以至影响他们的整个人生。

那些能让童年产生久远的感动、在记忆中留下难以磨灭的痕迹的童话和故事，文字优美，内涵丰富，充满想象力，就像天幕中闪亮的星星，永恒闪耀在孩子的心灵里，为他们送上快乐、友善、智慧、诚信、勇敢、坚强、希望……

这是一些曾经不朽、再过很多很多年依旧不朽的故事。这些故事一经阅读，便会深深植根于孩子们的脑海中，成为一种永久的记忆。

流传久远、讲述古老神奇故事的《一千零一夜》《神话故事》，语言优美、童趣盎然的《安徒生童话》《格林童话》，给予孩子智慧与启迪的《伊索寓言》《三十六计》和《365你问我答》，培养孩子优秀个性品质的《男孩故事》《女孩故事》和《感恩故事》，传承中华文化精髓的《唐诗三百首精选》《国学启蒙》和《儿歌三百首精选》，妙趣横生、百读不厌的古典四大名著，充满想象、奇幻有趣的长篇童话故事《绿野仙踪》《爱丽丝漫游奇境记》和《木偶奇遇记》……都是孩子们书架上的珍宝，陪伴着一代又一代儿童度过快乐的时光。朗朗上口的语言，生动有趣的故事，丰富的知识，优美的意境，让孩子们不仅能从中领略到语言文字的丰富表现力，还可以感受到其中的情感和思想内涵，在不知不觉中增长智慧，接受美的熏陶。

经典是永恒的，与美图共享，将演绎出别样的精彩。精致的图画，呈现出多样的色彩和灵动的线条，在孩子们眼前铺展开一个童话般美丽、神话般奇妙的世界，以有限的画面给孩子无限的空间去放飞想象。许多年以后，也许他们仍然记得，曾经有一幅富有创意的图画、一种感人的色调，吸引过自己的视线，在自己心里埋下过一颗梦想的种子。

美妙、高贵、多彩的经典，与孩子纯真的天性如此契合。在愉快的阅读中，孩子们将变得快乐、聪明和高尚。爱孩子，就给孩子一个快乐的七彩童年吧！

# 目录

七彩童书坊

# 盘古开天地

PAN GU KAI TIAN DI

wǒ guó shì shì jiè sì dà wén míng gǔ guó zhī yī cóng gǔ dào jīn yuē yǒu wǔ qiān
我国是世界四大文明古国之一，从古到今约有五千
nián de lì shǐ zài wǔ qiān nián de lì shǐ cháng hé zhōng liú chuán zhe xǔ duō měi miào
年的历史。在五千年的历史长河中，流传着许多美妙
dòng rén de gù shi zhè qí zhōng yě bāo kuò yī xiē chōng mǎn shén mì sè cǎi de shén huà
动人的故事，这其中也包括一些充满神秘色彩的神话
chuán shuō bǐ rú zhēn duì shì jiè shì zěn me xíng chéng de zhè ge wèn tí wǒ guó
传说。比如，针对“世界是怎么形成的”这个问题，我国
liú chuán zhe zhè yàng yī gè gǔ lǎo de shén huà gù shi
流传着这样一个古老的神话故事——

jù shuō zài tiān dì shàng wèi xíng chéng de shí hou yǔ zhòu jiù xiàng yī gè dà
据说，在天地尚未形成的时候，宇宙就像一个大
jī dàn yī piàn hùn dùn dào chù dōu shì hēi hū hū de méi yǒu guāng yě méi yǒu
鸡蛋，一片混沌，到处都是黑乎乎的，没有光，也没有
shēng yīn zài zhè ge hùn dùn de dà jī dàn zhōng xīn yùn yù zhe wǒ men rén lèi
声音。在这个混沌的“大鸡蛋”中心，孕育着我们人类
de zǔ xiān pán gǔ pán gǔ cóng tā dàn shēng de nà tiān qǐ jiù yī zhí hū hū
的祖先——盘古。盘古从他诞生的那天起，就一直呼呼
dà shuì zhè yī shuì jiù shì yī wàn bā qiān nián
大睡，这一睡就是一万八千年。

yǒu yī tiān pán gǔ xǐng le tā zhēng kāi yǎn jing yī kàn fā xiàn zhōu wéi yī
有一天，盘古醒了，他睁开眼睛一看，发现周围一

piàn qī hēi shén me yě kàn bù jiàn xīn lǐ biē de huang yú shì tā jué xīn tǒng
片漆黑，什么也看不见，心里憋得慌。于是，他决心捅
pò zhè ge dà jī dàn tā bá xià zì jǐ de yī kē yá chǐ bǎ tā biàn chéng
破这个“大鸡蛋”。他拔下自己的一颗牙齿，把它变成
yī bǎ wēi lì wú bǐ de jù fǔ rán hòu shǐ chū hún shēn lì qi lūn qǐ jù fǔ cháo
一把威力无比的巨斧，然后使出浑身力气，抡起巨斧朝
zhe wú biān wú jì de hēi àn pī qù
着无边无际的黑暗劈去。

suí zhe yī shēng jù xiǎng dà jī dàn bèi fēn chéng le liǎng bàn zhěng gè shì jiè
随着一声巨响，“大鸡蛋”被分成了两半，整个世界
kāi shǐ yáo huàng qǐ lái fā chū zhèn ěr yù lóng de shēng yīn yī xiē qīng de dōng xi
开始摇晃起来，发出震耳欲聋的声音。一些轻的东西
kāi shǐ màn màn de xiàng shàng shēng qǐ yuè shēng yuè gāo lìng yī xiē zhòng de dōng xi zé
开始慢慢地向上升起，越升越高；另一些重的东西则
màn màn de wǎng xià chén yuè chén yuè dī
慢慢地往下沉，越沉越低。

guò le yī duàn shí jiān nà xiē shàng shēng de dōng xi biàn chéng le wèi lán níng jìng
过了一段时间，那些上升的东西变成了蔚蓝宁静
de tiān kōng nà xiē xià chén de dōng xi zé biàn chéng le jiē shi guǎng kuò de dà dì
的天空；那些下沉的东西则变成了结实广阔的大地。
cóng cǐ shì jiè biàn yǒu le tiān kōng hé dà dì
从此，世界便有了天空和大地。

tiān dì yī fēn kāi pán gǔ cháng cháng de shū le yī kǒu qì xīn lǐ shū tan duō
天地一分开，盘古长长地舒了一口气，心里舒坦多
le kě shì pán gǔ yòu dān xīn tiān hé dì huì zài yī cì hé lǒng qǐ lái yú
了。可是，盘古又担心天和地会再一次合拢起来。于
shì pán gǔ shuāng shǒu yòng lì de wǎng shàng jǔ bǎ tiān kōng jǔ de gèng gāo tā de shuāng
是，盘古双手用力地往上举，把天空举得更高，他的双
jiǎo zé shǐ jìn de wǎng xià yā ràng dà dì wǎng xià chén
脚则使劲地往下压，让大地往下沉。

pán gǔ zài tiān dì jiān bù duàn de zhǎng dà
盘古在天地间不断地长大，
tiān kōng yě jiù bù duàn de shàng shēng dà dì zé bù
天空也就不断地上升，大地则不
duàn de xià chén jiù zhè yàng pán gǔ biàn chéng jù rén
断地下沉。就这样，盘古变成巨人
zhī chēng zhe tiān hé dì rì fù yī rì nián fù yī nián
支撑着天和地，日复一日，年复一年。
děng dào tā de shēn tǐ zhǎng dào jiǔ wàn lǐ nà me gāo shí shí
等到他的身体长到九万里那么高时，时
jiān yòu guò qù le yī wàn bā qiān nián
间又过去了一万八千年。

yīn wèi zhī chēng tiān dì de shí jiān tài jiǔ pán gǔ
因为支撑天地的时间太久，盘古
hào jìn le suǒ yǒu de jīng lì tā kàn jiàn tiān kōng hé dà dì
耗尽了所有的精力。他看见天空和大地
yǐ jīng lí de hěn yuǎn hěn yuǎn zài yě bù kě néng hé lǒng zài
已经离得很远很远，再也不可能合拢在
yī qǐ jiù dài zhe mǎn zú de wēi xiào tǎng xià lái
一起，就带着满足的微笑躺下来。

pán gǔ tài lèi le zài yě zhàn bù qǐ lái le tā xīn
盘古太累了，再也站不起来了。他心
xiǎng bǎ wǒ de shēn tǐ fèng xiàn chū lái chuàng zào yī gè chōng
想：把我的身体奉献出来，创造一个充
mǎn shēng jī de shì jiè ba
满生机的世界吧！

pán gǔ tǎng zài wú biān wú jì de dà dì shang
盘古躺在无边无际的大地上，
jiàn jiàn de tā de shēn tǐ chū xiàn le biàn huà
渐渐地，他的身体出现了变化：

tā hū chū de qì tǐ piāo piāo dàng dàng sàn bù kāi lái biàn chéng le tòu míng de kōng
他呼出的气体飘飘荡荡，散布开来，变成了透明的空
qì tā fā chū de jù dà shēng yīn biàn chéng le hōng lōng lōng de léi shēng tā
气。他发出的巨大声音，变成了“轰隆隆”的雷声。他
de zuǒ yǎn biàn chéng le yào yǎn de tài yáng gěi shì jiè dài lái wēn nuǎn hé guāng míng
的左眼变成了耀眼的太阳，给世界带来温暖和光明；
yòu yǎn biàn chéng le jiǎo jié de yuè liang zài yè wǎn zhào liàng dà dì tā de tóu fa
右眼变成了皎洁的月亮，在夜晚照亮大地。他的头发
hé hú xū biàn chéng le màn tiān de xīng xing pí fū shang de hàn máo biàn chéng le fù gài
和胡须变成了漫天的星星，皮肤上的汗毛变成了覆盖
dà dì de sēn lín hé cǎo yuán tā qiáng jiàn de gē bo hé tuǐ biàn chéng le wèi yú dà
大地的森林和草原。他强健的胳膊和腿变成了位于大
dì dōng nán xī běi de sì zuò gāo shān tā quán shēn liú tǎng de xuè yè biàn chéng
地东、南、西、北的四座高山。他全身流淌的血液变成

le tāo tāo bēn yǒng de hé liú xuè guǎn biàn chéng le dà dì
了滔滔奔涌的河流，血管变成了大地
shang sì tōng bā dá de dào lù tā de jī ròu huà chéng le féi wò de tǔ rǎng yá
上四通八达的道路。他的肌肉化成了肥沃的土壤，牙
chǐ hé gǔ gé biàn chéng le shēn mái zài dì xià de kuàng chǎn hé bǎo zàng tā de hún
齿和骨骼变成了深埋在地下的矿产和宝藏，他的魂
pò huà zuò le chóng yú niǎo shòu
魄化作了虫、鱼、鸟、兽。

jiù zhè yàng pán gǔ píng jiè zì jǐ de lì liàng kāi tiān pì dì bìng fèng xiàn zì
就这样，盘古凭借自己的力量开天辟地，并奉献自
jǐ chuàng zào le shì jiè shang de wàn shì wàn wù cóng cǐ yǐ hòu tiān shàng yǒu le rì
己创造了世界上的万事万物。从此以后，天上有了日
yuè xīng chén dì shang yǒu le shān chuān cǎo mù jiāng hé hú pō chóng yú niǎo shòu yī gè
月星辰，地上有了山川草木、江河湖泊、虫鱼鸟兽，一个
zhǎn xīn de shì jiè dàn shēng le
崭新的世界诞生了。

# 尧舜禅位

YAO SHUN SHAN WEI

五千多年前，在中原大地上生活着许多部落。其中，有两个部落的实力非常强大，它们的首领分别是黄帝轩辕氏和炎帝神农氏。后来，黄帝率领部落吞并了炎帝部落，统一了中原地区，成了中原地区部落联盟的首领。由于两个部落原本就是近亲，统一后，慢慢融合在一起，他们就是中华民族的始祖。

黄帝死后多年，尧当上了首领。尧非常懂得治理部落，对百姓施行仁政。他在位期间，部落兴旺发达，人民安居乐业，大家都非常爱戴他。

后来，尧的年纪渐渐大了。他想找一个贤能的人来接替自己统治部落。

yī tiān yáo bǎ suǒ yǒu de bù luò shǒu lǐng
一天，尧把所有的部落首领
dōu zhào jí lái duì tā men shuō wǒ yǐ jīng lǎo le shì shí hou kǎo lǜ jiē bān rén
都召集来，对他们说："我已经老了，是时候考虑接班人
de wèn tí le nǐ men jué de shéi néng jiē tì wǒ de wèi zi
的问题了，你们觉得谁能接替我的位子？"

dà jiā jīng guò tǎo lùn duì yáo shuō lì shān yǒu yī gè jiào shùn de qīng nián
大家经过讨论，对尧说："历山有一个叫舜的青年，
tā bù jǐn yǒu cái gàn pǐn xíng yě hěn hǎo
他不仅有才干，品行也很好。"

yáo diǎn diǎn tóu shuō wǒ yě tīng shuō guo zhè ge rén nǐ men jù tǐ shuō
尧点点头，说："我也听说过这个人。你们具体说
yī shuō tā dào dǐ shì yī gè zěn yàng de rén
一说，他到底是一个怎样的人。"

dà jiā biàn bǎ shùn de qíng kuàng shuō le shùn míng jiào chóng huá tā de mǔ qīn zài
大家便把舜的情况说了：舜名叫重华，他的母亲在

tā hěn xiǎo de shí hou jiù qù shì le tā de fù qīn gǔ sǒu yòu qǔ le yī gè qī
他很小的时候就去世了。他的父亲瞽瞍又娶了一个妻
zi hái shēng le gè ér zi jiào xiàng hòu mǔ hé dì di wèi le bà zhàn quán bù de jiā
子，还生了个儿子叫象。后母和弟弟为了霸占全部的家
chǎn yī zhí duì shùn bǎi bān diāo nàn shèn zhì xiǎng bǎ shùn hài sǐ kě shùn cóng bù jì
产，一直对舜百般刁难，甚至想把舜害死，可舜从不计
jiào yī rán duì fù qīn hé hòu mǔ gōng shùn duì dì di ài hù yǒu jiā yīn cǐ
较，依然对父亲和后母恭顺，对弟弟爱护有加。因此，
dà jiā dōu rèn wéi shùn shì yī gè dé xíng gāo shàng de rén
大家都认为舜是一个德行高尚的人。

yáo tīng le hěn gāo xìng jué dìng xiān hǎo hǎo kǎo chá shùn yī fān yáo jiāng zì jǐ
尧听了很高兴，决定先好好考察舜一番。尧将自己
de liǎng gè nǚ ér é huáng hé nǚ yīng jià gěi le shùn hái ràng shùn guǎn lǐ liáng
的两个女儿——娥皇和女英嫁给了舜，还让舜管理粮

cāng fēn gěi tā hěn duō niú yáng hòu mǔ hé dì di zhī dào hòu fēi cháng jí dù
仓，分给他很多牛羊。后母和弟弟知道后，非常嫉妒，
hé gǔ sǒu yī qǐ duō cì shè jì xiǎng yào hài sǐ shùn
和瞽瞍一起，多次设计想要害死舜。

yǒu yī cì gǔ sǒu shuō liáng cāng de wū dǐng yǒu yī gè pò dòng ràng shùn qù xiū
有一次，瞽瞍说粮仓的屋顶有一个破洞，让舜去修
bǔ shùn háo bù huái yí lì kè yòng tī zi pá shàng wū dǐng qù xiū bǔ dāng shùn
补。舜毫不怀疑，立刻用梯子爬上屋顶去修补。当舜
zhuān xīn xiū bǔ wū dǐng de shí hou xiàng qiāo qiāo de guò lái bǎ tī zi bān zǒu hái zài
专心修补屋顶的时候，象悄悄地过来把梯子搬走，还在
liáng cāng li fàng huǒ xiǎng bǎ shùn shāo sǐ
粮仓里放火，想把舜烧死。

shùn méi yǒu le tī zi xià bù qù xìng kuī tā suí shēn dài le liǎng dǐng zhē tài yáng
舜没有了梯子下不去，幸亏他随身带了两顶遮太阳
de dǒu lì tā zuǒ yòu shǒu gè ná yī dǐng dǒu lì rán hòu zhāng kāi shuāng bì xiàng niǎo
的斗笠，他左右手各拿一顶斗笠，然后张开双臂，像鸟
zhāng kāi chì bǎng yī yàng tiào xià lái gāng hǎo dāng shí guā le yī zhèn dà fēng dǒu lì
张开翅膀一样跳下来。刚好，当时刮了一阵大风，斗笠
suí fēng qīng qīng piāo dàng shùn màn màn de jiàng luò dào dì miàn ān rán wú yàng
随风轻轻飘荡，舜慢慢地降落到地面，安然无恙。

kě shì gǔ sǒu hé xiàng jiàn méi yǒu hài sǐ shùn bìng bù bà xiū tā men yòu
可是，瞽瞍和象见没有害死舜，并不罢休，他们又
xiǎng chū le yī gè huài zhǔ yi ràng shùn qù wā jǐng shùn xīn xīn kǔ kǔ de wā le
想出了一个坏主意：让舜去挖井。舜辛辛苦苦地挖了
jǐ tiān jǐ yè jǐng yǐ jīng wā de hěn shēn hěn shēn le gǔ sǒu hé xiàng jiù zài dì miàn
几天几夜，井已经挖得很深很深了。瞽瞍和象就在地面
shang wǎng jǐng li rēng shí tou xiǎng bǎ jǐng tián mǎn jiāng jǐng xià de shùn gěi huó mái le
上往井里扔石头，想把井填满，将井下的舜给活埋了。
xìng kuī shùn zài wā jǐng de shí hou tōu tōu zài jǐng biān wā le yī tiáo tōng dào tā cóng
幸亏舜在挖井的时候，偷偷在井边挖了一条通道。他从

tōng dào zuān le chū lái ān quán de huí dào le jiā
通道钻了出来，安全地回到了家。

jí shǐ zhè yàng shùn yě méi yǒu yīn cǐ jì hèn fù qīn hé dì di tā jiù dàng
即使这样，舜也没有因此记恨父亲和弟弟，他就当
shén me shì qing yě méi fā shēng guo yī yàng yī rú jì wǎng de xiào shùn fù mǔ qīn chù
什么事情也没发生过一样，一如既往地孝顺父母亲，处
chù guān xīn hé ài hù dì di
处关心和爱护弟弟。

yáo zhī dào zhè xiē shì qing hòu duì shùn fēi cháng mǎn yì yòu ràng shùn dān rèn gè
尧知道这些事情后，对舜非常满意，又让舜担任各
zhǒng zhí wù shùn wú lùn zuò shén me gōng zuò dōu fēi cháng chū sè jiāng gè zhǒng shì wù
种职务。舜无论做什么工作都非常出色，将各种事务
chǔ lǐ de jǐng jǐng yǒu tiáo jiù zhè yàng tōng guò duō nián de kǎo chá yáo què dìng shùn
处理得井井有条。就这样，通过多年的考察，尧确定舜
shì gè pǐn dé gāo shàng yòu néng gàn de rén jiù bǎ shǒu lǐng de wèi zi chuán gěi le
是个品德高尚又能干的人，就把首领的位子传给了
tā zhè zhǒng ràng wèi lì shǐ shang chēng zuò
他。这种让位，历史上称作
shàn ràng
“禅让”。

# 大禹治水

DA YU ZHI SHUI

yáo zài wèi qī jiān huáng hé liú yù hóng shuǐ fàn làn chéng zāi lái shì xiōng xiōng de
尧在位期间，黄河流域洪水泛滥成灾，来势汹汹的
hóng shuǐ yān mò le zhuāng jia chōng huǐ le fáng wū tūn mò le cūn zhuāng lǎo bǎi xìng zhǐ
洪水淹没了庄稼，冲毁了房屋，吞没了村庄，老百姓只
néng bù duàn de bān jiā rì zi guò de shí fēn bēi cǎn
能不断地搬家，日子过得十分悲惨。

kàn dào hóng shuǐ dài lái de yán zhòng zāi nàn yáo yōu xīn chōng chōng biàn xiàng gè bù
看到洪水带来的严重灾难，尧忧心忡忡，便向各部
luò xún fǎng néng zhì hóng shuǐ de rén cái gè fāng bù luò shǒu lǐng yī zhì tuī jǔ le gǔn
落寻访能治洪水的人才。各方部落首领一致推举了鲧。
yáo jué de gǔn de néng lì bù shì hěn qiáng dàn dāng shí yě méi yǒu qí tā gèng hǎo de rén
尧觉得鲧的能力不是很强，但当时也没有其他更好的人
xuǎn zhǐ hǎo jiāng zhì lǐ hóng shuǐ de rèn wu jiāo gěi gǔn
选，只好将治理洪水的任务交给鲧。

gǔn zhì lǐ hóng shuǐ de fāng fǎ shì wéi dǔ tā dài lǐng rén men bǎ ní tǔ shā
鲧治理洪水的方法是围堵。他带领人们把泥土、沙
shí hùn hé zài yī qǐ zài gè tiáo dà hé shang zhù qǐ gāo gāo de dī bà dǎng zhù hóng
石混合在一起，在各条大河上筑起高高的堤坝，挡住洪
shuǐ kě shì hóng shuǐ tài měng le rén men hǎo bù róng yì cái zhù hǎo de dī bà
水。可是，洪水太猛了，人们好不容易才筑好的堤坝，
yī cì yòu yī cì de bèi xiōng yǒng de hóng shuǐ chōng kuǎ jiù zhè yàng gǔn jǐn guǎn fèi
一次又一次地被汹涌的洪水冲垮。就这样，鲧尽管费

jìn xīn si zhì lǐ le jiǔ nián hái shi méi yǒu jiě jué hóng shuǐ wèn tí
尽心思治理了九年，还是没有解决洪水问题。

hòu lái yáo bǎ shǒu lǐng de wèi zi shàn ràng gěi le shùn shùn dāng shàng bù luò
后来，尧把首领的位子禅让给了舜。舜当上部落
lián méng shǒu lǐng hòu zuì dà de xīn yuàn jiù shì wèi lǎo bǎi xìng zhì lǐ hǎo hóng shuǐ tā
联盟首领后，最大的心愿就是为老百姓治理好洪水。他
kàn gǔn de zhì shuǐ bàn fǎ méi yǒu xiào guǒ jiù yì rán miǎn qù le tā de zhí wù bìng
看鲧的治水办法没有效果，就毅然免去了他的职务，并
ràng gǔn de ér zi yǔ lái zhì shuǐ
让鲧的儿子禹来治水。

dāng shí yǔ jié hūn hái méi yǒu jǐ tiān jiē dào shùn de mìng lìng hòu tā yì
当时，禹结婚还没有几天。接到舜的命令后，他毅
rán pāo xià qī zi jué dìng jìn quán lì qù wán chéng fù qīn shàng wèi wán chéng de shì yè
然抛下妻子，决定尽全力去完成父亲尚未完成的事业，
bǎ hóng shuǐ zhì lǐ hǎo
把洪水治理好。

yǔ yī shàng rèn jiù dài zhe zhù shǒu bó yì hòu jì děng dào gè dì chá kàn dì
禹一上任，就带着助手伯益、后稷等到各地查看地
xíng tā men fān guò shān chuān yuè guò hé liú è le jiù chī diǎn gān liang chōng jī
形。他们翻过山川，越过河流，饿了就吃点干粮充饥，
kě le jiù hē diǎn shān quán shuǐ jiě kě kùn le jiù zài yě wài xiē yī huìr jiù zhè
渴了就喝点山泉水解渴，困了就在野外歇一会儿，就这
yàng lì jìn qiān xīn wàn kǔ zhōng yú zǒu biàn le huáng hé yī dài de shān shān shuǐ shuǐ
样历尽千辛万苦，终于走遍了黄河一带的山山水水。

tōng guò shí dì kǎo chá yǔ yǒu le yī gè zhòng dà fā xiàn měi tiáo hé zuì zhōng
通过实地考察，禹有了一个重大发现：每条河最终
dōu tōng xiàng dōng fāng de dà hǎi tā xiǎng rú guǒ bǎ měi tiáo hé liú dōu shū tōng jiāng
都通向东方的大海。他想，如果把每条河流都疏通，将
hóng shuǐ yǐn rù dà hǎi hóng zāi bù jiù jiě jué le ma xiǎng dào zhè lǐ yǔ lì kè
洪水引入大海，洪灾不就解决了吗？想到这里，禹立刻

zhào jí zhòng rén kāi shǐ le shū tōng hé liú de gōng chéng
召集众人，开始了疏通河流的工程。

yǔ gēn jù bù tóng de dì lǐ qíng kuàng zhì dìng chū bù tóng de fāng àn yù dào dà shān zǔ dǎng shí tā jiù pài rén kāi shān wā qú shǐ de hé shuǐ néng gòu shùn chàng de wǎng xià liú yù dào hé dào dǔ sè tā jiù mìng rén qīng chú yū ní shū tōng hé dào zhè yàng bǎ dà dà xiǎo xiǎo de hé liú lián jiē qǐ lái zài bǎ hóng shuǐ yǐn rù dà hǎi
禹根据不同的地理情况制定出不同的方案。遇到大山阻挡时，他就派人开山挖渠，使得河水能够顺畅地往下流；遇到河道堵塞，他就命人清除淤泥，疏通河道。这样，把大大小小的河流连接起来，再把洪水引入大海。

zài zhì lǐ hóng shuǐ qī jiān yǔ hé lǎo
在治理洪水期间，禹和老
bǎi xìng yī qǐ rì yè bù tíng de xīn qín láo dòng cè dì xíng wā tǔ tiāo tǔ
百姓一起日夜不停地辛勤劳动，测地形、挖土、挑土……
wú lùn shì yán hán kù shǔ hái shi fēng shuāng yǔ xuě yǔ dōu jiān shǒu zài gǎng wèi shang
无论是严寒酷暑，还是风霜雨雪，禹都坚守在岗位上，
cóng wèi lí kāi guo
从未离开过。

yóu yú cháng shí jiān de jiān kǔ láo dòng yǔ de shǒu shang zhǎng mǎn le lǎo jiǎn xiǎo
由于长时间的艰苦劳动，禹的手上长满了老茧，小
tuǐ shang de hàn máo yě bèi mó guāng le zài jiā shàng cháng qī pào zài shuǐ zhōng tā de jiǎo
腿上的汗毛也被磨光了，再加上长期泡在水中，他的脚

zhǐ jia yě dōu tuō luò le bù guò lìng yǔ xīn wèi de shì tā de xīn qín fù chū
指甲也都脱落了。不过，令禹欣慰的是，他的辛勤付出
wèi tā yíng dé le lǎo bǎi xìng de ài dài
为他赢得了老百姓的爱戴。

gèng lìng rén zàn xǔ de shì yǔ zài zhì shuǐ qī jiān céng jīng sān cì lù guò jiā
更令人赞许的是，禹在治水期间曾经三次路过家
mén dàn měi cì dōu yǒu yào wù zài shēn suǒ yǐ méi néng jìn qù kàn kàn
门，但每次都有要务在身，所以没能进去看看。

tā dì yī cì lù guò jiā mén shí qī zi zhèng zài shēng hái zi ér zi gāng chū
他第一次路过家门时，妻子正在生孩子，儿子刚出
shēng shí de kū shēng cóng lǐ miàn chuán le chū lái yǔ duō xiǎng jìn qù qiáo qiáo a kě
生时的哭声从里面传了出来。禹多想进去瞧瞧啊，可
shì tā yī xiǎng dào zì jǐ zài jiā li duō tíng liú yī kè hóng shuǐ jiù yǒu kě néng duō
是他一想到自己在家里多停留一刻，洪水就有可能多
chōng kuǎ yī jiān fáng zi biàn dǎ xiāo le jìn qù de niàn tou dì èr cì lù guò jiā
冲垮一间房子，便打消了进去的念头。第二次路过家
mén shí qī zi bào zài huái li de ér zi yǐ jīng huì jiào bà ba le kě shì tā
门时，妻子抱在怀里的儿子已经会叫“爸爸”了，可是他
pà dān wu zhì shuǐ yě méi yǒu jìn qù dì sān cì jīng guò jiā mén shí ér zi yǐ
怕耽误治水，也没有进去。第三次经过家门时，儿子已
jīng shí suì le xiǎng lā tā jìn jiā mén kě yǔ shuō tā hái méi yǒu zhì hǎo hóng shuǐ
经十岁了，想拉他进家门，可禹说他还没有治好洪水，
jiù cōng máng lí kāi le
就匆忙离开了。

jiù zhè yàng jīng guò shí sān nián de nǔ lì yǔ dài lǐng rén men shū tōng le hé
就这样，经过十三年的努力，禹带领人们疏通了河
dào zhì hǎo le hóng shuǐ wèi cǐ yǔ dé dào le shùn de zàn shǎng hé bǎi xìng de ài
道，治好了洪水。为此，禹得到了舜的赞赏和百姓的爱
dài hòu lái tā hái bèi dà jiā xuǎn wéi bù luò lián méng shǒu lǐng
戴。后来，他还被大家选为部落联盟首领。

# 启建夏朝

QI JIAN XIA CHAO

yǔ wǎn nián de shí hou àn zhào guàn lì ràng dà jiā xuǎn jǔ xīn de jì chéng rén
禹晚年的时候，按照惯例让大家选举新的继承人。
qǐ chū dà jiā yī zhì tuī jǔ le gāo táo dàn gāo táo hái méi jiē rèn jiù bìng sǐ le
起初，大家一致推举了皋陶，但皋陶还没接任就病死了。
yú shì dà jiā yòu yī zhì tuī jǔ gāo táo de ér zi bó yì wéi jì chéng rén
于是，大家又一致推举皋陶的儿子伯益为继承人。

bó yì shì yǔ zhì shuǐ shí zuì dé lì de zhù shǒu tā hé yǔ bìng jiān fèn dòu
伯益是禹治水时最得力的助手，他和禹并肩奋斗
le shí sān nián yǔ jí wèi hòu bó yì rèn zhēn tā shi de fǔ zhù yǔ zhì lǐ shuǐ
了十三年。禹即位后，伯益认真踏实地辅助禹治理水
tǔ kāi kěn huāng dì zhòng zhí shuǐ dào hái fā míng le wā shuǐ jǐng de fāng fǎ suǒ
土、开垦荒地、种植水稻，还发明了挖水井的方法。所
yǐ zài lǎo bǎi xìng de xīn mù zhōng bó yì de gōng láo hěn dà tā zuò yǔ de jì
以，在老百姓的心目中，伯益的功劳很大，他做禹的继
chéng rén zuì hé shì
承人最合适。

bù guò yǔ de ér zi qǐ duì cǐ hěn bù fú qì tā rèn wéi tiān xià shì fù
不过，禹的儿子启对此很不服气，他认为天下是父
qīn xīn xīn kǔ kǔ dé lái de ér qiě bù luò li jī lěi le nà me duō cái chǎn zěn
亲辛辛苦苦得来的，而且部落里积累了那么多财产，怎
me néng ràng bié rén lái jì chéng zì jǐ què shén me dōu dé bù dào ne yú shì qǐ
么能让别人来继承，自己却什么都得不到呢？于是，启

àn àn xià jué xīn yào duó dé jì chéng rén de wèi zi
暗暗下决心要夺得继承人的位子。

qǐ zhī dào bó yì de wēi wàng hěn gāo zì jǐ shǒu xiān yào zuò de jiù shì zhēng qǔ bǎi xìng de yōng hù wèi le dá dào zhè ge mù dì tā jī jí de chā shǒu bù luò shì wù yī bù bù de duó qǔ bó yì de quán lì zài shēng huó zhōng tā yán gé yāo qiú zì jǐ yī shí jiǎn pǔ zūn jìng lǎo rén ài hù xiǎo hái
启知道伯益的威望很高，自己首先要做的就是争取百姓的拥护。为了达到这个目的，他积极地插手部落事务，一步步地夺取伯益的权力。在生活中，他严格要求自己：衣食简朴，尊敬老人，爱护小孩。

jiàn jiàn de qǐ de míng qi yuè lái yuè dà rén men duì tā zàn bù jué kǒu rèn wéi tā bù jǐn yǒu néng lì ér qiě pǐn dé gāo shàng shì zhì lǐ tiān xià de zuì jiā rén xuǎn ér bó yì suī rán shì jì chéng rén dàn méi yǒu xīn de zhèng jì tā guò qù de gōng láo yě zhú jiàn bèi rén men dàn wàng le
渐渐地，启的名气越来越大，人们对他赞不绝口，认为他不仅有能力而且品德高尚，是治理天下的最佳人选。而伯益虽然是继承人，但没有新的政绩，他过去的功劳也逐渐被人们淡忘了。

禹死后，启得到了多数部落的拥护。伯益不甘心自己被取代，便率领军队攻打启。启早有准备，经过一场大战，打败了伯益的军队。接着，启建立了我国历史上第一个王朝——夏朝，并登上王位。

启登基后，仍有一些部落对他表示强烈的不满，因为他的做法违背了禅让制。其中，有一个叫有扈氏的部落，这个部落的首领公开指责启："伯益是禹指定的继承人，你应该遵照部落会议的决定，让位给伯益。"

启听了非常生气，便带领军队去攻打有扈氏部落。有扈氏也不甘示弱，率军迎战。因为有扈氏有正当的交战理由，将士们打起仗来英勇无比。相反的是，启的军队有些理亏，出兵不利，差点全军覆没。

这个时候，启知道继续打下去取胜的机会很小，便主动撤退，休养生息一段时间。在这段时间里，启严格要求自己，生活简朴，任用贤人，声望大大提高。

qǐ jiàn rén xīn yǐ jīng zhuǎn xiàng zì jǐ zhè biān biàn duì yǒu hù shì fā dòng le
启见人心已经转向自己这边，便对有扈氏发动了
dì èr cì zhàn zhēng
第二次战争。

yǒu hù shì shàng cì qǔ shèng hòu fàng sōng le duì qǐ de jǐng tì dāng qǐ shuài
有扈氏上次取胜后，放松了对启的警惕。当启率
lǐng dà jūn tū rán lái xí yǒu hù shì de jūn duì méi zuò hǎo zhǔn bèi jié guǒ yǒu
领大军突然来袭，有扈氏的军队没做好准备。结果，有
hù shì de shǒu lǐng zhàn bài bèi shā tā de bù xià bèi qǐ shōu wéi nú lì
扈氏的首领战败被杀，他的部下被启收为奴隶。

jīng guò zhè cì zhàn zhēng zài yě méi yǒu rén fǎn kàng qǐ de tǒng zhì qǐ jìn yī
经过这次战争，再也没有人反抗启的统治，启进一
bù gǒng gù le wáng wèi cóng cǐ shàn ràng zhì bèi fèi chú fù chuán zǐ jiā tiān
步巩固了王位。从此，禅让制被废除，“父传子，家天
xià de shì xí zhì dù zhèng shì kāi shǐ le
下”的世袭制度正式开始了。

# 商汤灭夏

SHANG TANG MIE XIA

xià cháo yī gòng tǒng zhì le sì bǎi duō nián chuán dào jié zhè yī dài shí guó jiā
夏朝一共统治了四百多年，传到桀这一代时，国家
zhú jiàn zǒu xiàng mò luò jié zhěng tiān zhǐ gù zhe xún huān zuò lè bù lǐ cháo zhèng tóng
逐渐走向没落。桀整天只顾着寻欢作乐，不理朝政，同
shí yòu cán bào bù rén làn shā wú gū shǐ de mín xīn huàn sàn yóu rú yī pán sǎn shā
时又残暴不仁，滥杀无辜，使得民心涣散，犹如一盘散沙。

zhè shí huáng hé xià yóu yī gè jiào shāng de bù luò jiàn jiàn qiáng dà qǐ lái tā
这时，黄河下游一个叫商的部落渐渐强大起来，他
men de shǒu lǐng jiào tāng tāng kuān hòu rén cí yòu yǒu cái gàn zài tā de zhì lǐ xià
们的首领叫汤。汤宽厚仁慈，又有才干，在他的治理下，
bǎi xìng de shēng huó guò de hěn hǎo
百姓的生活过得很好。

yǒu yī tiān tāng dào lín zi li sàn bù zhèng hǎo yù shàng yī gè liè rén zài zhāng
有一天，汤到林子里散步。正好遇上一个猎人在张
wǎng bǔ niǎo zhǐ jiàn nà ge liè rén yī biān xiàng sì miàn guà wǎng yī biān dǎo gào shuō
网捕鸟，只见那个猎人一边向四面挂网，一边祷告说：
sì miàn bā fāng de niǎor dōu fēi dào wǒ de wǎng li lái ba
“四面八方的鸟儿都飞到我的网里来吧！”

tāng xiǎng zhè yàng gǎn jìn shā jué shí zài tài guò fèn le yú shì tā zǒu
汤想，这样赶尽杀绝，实在太过分了。于是，他走
shàng qián quàn gào liè rén jiù suàn duì dài dòng wù wǒ men yě yào yǒu rén dé zhī xīn
上前劝告猎人：“就算对待动物，我们也要有仁德之心

a bù néng bǔ jìn zhuō jué
啊，不能捕尽捉绝！”

shuō wán tāng hái jiào liè rén bǎ zhāng guà de wǎng
说完，汤还叫猎人把张挂的网

chè diào sān miàn zhǐ liú xià yī miàn liè rén tīng le jué de hěn yǒu dào lǐ jiù
撤掉三面，只留下一面。猎人听了，觉得很有道理，就

àn tāng shuō de zuò le
按汤说的做了。

bù jiǔ tāng wǎng kāi sān miàn de shì jì biàn chuán kāi le rén men dōu jué
不久，汤“网开三面”的事迹便传开了。人们都觉

de tāng fēi cháng rén cí zhí dé xìn lài gèng jiā ài dài tā yī xiē xiǎo bù luò fēn
得汤非常仁慈，值得信赖，更加爱戴他。一些小部落纷

fēn yōng hù tāng hěn duō rén cái qián lái wèi tā xiào lì qí zhōng jiù bāo kuò yī yǐn
纷拥护汤，很多人才前来为他效力，其中就包括伊尹。

yī yǐn běn shì yī gè nú lì dàn tā fēi cháng yǒu cái gàn tāng dé dào yī
伊尹本是一个奴隶，但他非常有才干。汤得到伊

yǐn hòu duì tā fēi cháng zhòng shì jīng cháng xiàng tā qǐng jiào zhì lǐ guó jiā de fāng fǎ
尹后，对他非常重视，经常向他请教治理国家的方法。

ér yī yǐn yě shì yī gè xīn huái tiān xià de rén tā yī xīn xiǎng fú chí tāng zuò
而伊尹也是一个心怀天下的人，他一心想扶持汤做
yī gè xián néng de jūn zhǔ tuī fān jié de cán bào tǒng zhì bǎ bǎi xìng cóng kǔ nàn zhōng
一个贤能的君主，推翻桀的残暴统治，把百姓从苦难中
jiě jiù chū lái suǒ yǐ tā lái dào tāng de shēn biān hòu jìn xīn jìn zé zài yī yǐn
解救出来。所以他来到汤的身边后，尽心尽责。在伊尹
de fǔ zhù xià shāng bù luò fā zhǎn de yuè lái yuè kuài
的辅助下，商部落发展得越来越快。

jié tīng shuō shāng bù luò de shì lì bù duàn kuò zhāng dān xīn tāng huì wēi xié zì
桀听说商部落的势力不断扩张，担心汤会威胁自
jǐ de tǒng zhì biàn pài shǐ zhě qù jiào tāng rù cháo tāng méi yǒu fáng bèi jiù lái dào xià
己的统治，便派使者去叫汤入朝。汤没有防备就来到夏
de dū chéng bèi jié qiú jìn le qǐ lái
的都城，被桀囚禁了起来。

yī yǐn hé dà chén zhòng huǐ dé zhī tāng bèi qiú jìn hòu lì kè xiǎng bàn fǎ jiě
伊尹和大臣仲虺得知汤被囚禁后，立刻想办法解
jiù tā tā men zhī dào jié jì tān cái yòu hào sè jiù sōu jí le xǔ duō jīn yín zhū
救他。他们知道桀既贪财又好色，就搜集了许多金银珠
bǎo hé měi nǚ xiàn gěi tā qǐng qiú tā fàng le tāng jié jiàn dào zhè me duō cái bǎo hé
宝和美女献给他，请求他放了汤。桀见到这么多财宝和
měi nǚ gāo xìng de bù dé liǎo jiù bǎ tāng fàng le
美女，高兴得不得了，就把汤放了。

tāng huí dào shāng bù luò hòu shēn zhī jié yī dìng huì zài zhǎo jī huì shā hài zì jǐ
汤回到商部落后，深知桀一定会再找机会杀害自己
de yīn ér gèng jiān dìng le miè xià de jué xīn
的，因而更坚定了灭夏的决心。

méi guò duō jiǔ zhōng yuán hěn duō bù luò rěn shòu bù liǎo jié de cán bào tǒng zhì
没过多久，中原很多部落忍受不了桀的残暴统治，
fēn fēn qǐ bīng fǎn kàng tāng zài yī yǐn hé zhòng huǐ de bāng zhù xià lián hé le gè fāng
纷纷起兵反抗。汤在伊尹和仲虺的帮助下，联合了各方

de bù luò shuài lǐng zhe yī zhī dà jūn hào hào dàng dàng de qù tǎo fá bào jūn
的部落，率领着一支大军浩浩荡荡地去讨伐暴君。

dà zhàn kāi shǐ qián tāng wèi le gǔ wǔ shì qì xuān dú le shì cí jié zuì
大战开始前，汤为了鼓舞士气，宣读了誓词：“桀罪
è duō duān zhǐ gù xiǎng lè huò hai bǎi xìng xiàn zài shì tiān nù rén yuàn shàng tiān mìng
恶多端，只顾享乐，祸害百姓，现在是天怒人怨，上天命
wǒ qù tǎo fá tā jié shì zhù dìng yào miè wáng de jiàng shì men běn lái jiù duì jié
我去讨伐他，桀是注定要灭亡的！”将士们本来就对桀
hèn zhī rù gǔ tīng le zhè fān huà gèng shì chōng mǎn dòu zhì zhàn dòu kāi shǐ hòu tāng
恨之入骨，听了这番话更是充满斗志。战斗开始后，汤
de jūn duì rén rén fèn yǒng shā dí jié de rén mǎ hěn kuài jiù bèi dǎ de yī bài tú
的军队人人奋勇杀敌，桀的人马很快就被打得一败涂
dì zuì hòu jié zhàn bài bèi zhuō bèi liú fàng dào yī gè piān yuǎn de dì fang
地。最后，桀战败被捉，被流放到一个偏远的地方。

jiù zhè yàng xià cháo miè wáng le suí hòu tāng jiàn lì le yī gè xīn de cháo
就这样，夏朝灭亡了。随后，汤建立了一个新的朝
dài shāng cháo
代——商朝。

# 武王伐纣

WU WANG FA ZHOU

dì xīn shì shāng cháo de zuì hòu yī wèi jūn wáng yòu jiào zhòu wáng zhòu wáng zài
帝辛是商朝的最后一位君王，又叫纣王。纣王在
wèi shí yīn wèi zhèng quán bǐ jiào wěn gù suǒ yǐ zhěng tiān wú suǒ shì shì zhǐ zhī dào
位时，因为政权比较稳固，所以整天无所事事，只知道
xún huān zuò lè jiǔ ér jiǔ zhī zhòu wáng hái yǎng chéng le dú duàn zhuān xíng huāng yín cán
寻欢作乐。久而久之，纣王还养成了独断专行、荒淫残
bào de xìng gé shāng cháo zài tā de tǒng zhì xià yuè lái yuè shuāi bài
暴的性格。商朝在他的统治下，越来越衰败。

shāng cháo de xī bian yǒu yī gè jiào zhōu de shǔ guó zhōu guó zài shǒu lǐng jī
商朝的西边，有一个叫周的属国。周国在首领姬
chāng de zhì lǐ xià zhú jiàn qiáng dà qǐ lái jī chāng sǐ hòu tā de ér zi jī fā
昌的治理下逐渐强大起来。姬昌死后，他的儿子姬发
jì wèi chēng wéi zhōu wǔ wáng zhōu wǔ wáng zhòng yòng jiāng zǐ yá děng rén dà lì fā zhǎn
继位，称为周武王。周武王重用姜子牙等人，大力发展
nóng yè shēng chǎn kuò chōng jūn duì shǐ zhōu guó de lì liàng gèng jiā qiáng dà ér cǐ
农业生产，扩充军队，使周国的力量更加强大。而此
shí zhòu wáng yī tiān bǐ yī tiān cán bào zhū shā le yī pī yòu yī pī zhōng chén
时，纣王一天比一天残暴，诛杀了一批又一批忠臣。

bǐ gàn shì zhòu wáng de shū fù yě shì cháo tíng de chéng xiàng tā bù rěn xīn kàn
比干是纣王的叔父，也是朝廷的丞相，他不忍心看
zhe guó jiā shuāi bài xià qù jiù bù yàn qí fán yī cì yòu yī cì de quàn gào zhòu wáng
着国家衰败下去，就不厌其烦一次又一次地劝告纣王，

ràng tā hǎo hǎo zhì lǐ guó jiā zuì hòu zhòu wáng bèi bǐ gàn rě nù le tā shuō
让他好好治理国家。最后，纣王被比干惹怒了，他说：
wǒ tīng shuō shèng rén de xīn dōu yǒu qī qiào jīn tiān wǒ dào yào kàn kàn nǐ zhè ge wěi
“我听说圣人的心都有七窍，今天我倒要看看你这个伪
jūn zǐ de xīn yǒu jǐ qiào shuō wán biàn jiào shì bīng bǎ bǐ gàn de xiōng táng pōu kāi
君子的心有几窍！”说完，便叫士兵把比干的胸膛剖开，
wā chū le tā de xīn zàng
挖出了他的心脏。

zhòu wáng de bào zhèng rě de tiān nù rén yuàn zhōu wǔ wáng zhī dào shì shí hou qǐ
纣王的暴政惹得天怒人怨，周武王知道是时候起
bīng gōng dǎ shāng cháo le tā qīn zì guà shuài yǐ jiāng zǐ yá wéi jūn shī shuài lǐng dà
兵攻打商朝了。他亲自挂帅，以姜子牙为军师，率领大
jūn hào hào dàng dàng de xiàng shāng cháo dū chéng zhāo gē jìn fā sì fāng de zhū hóu tīng dào
军浩浩荡荡地向商朝都城朝歌进发。四方的诸侯听到
xiāo xi yě fēn fēn qǐ bīng jiā rù tǎo fá shāng zhòu
消息，也纷纷起兵，加入讨伐商纣
wáng de duì wu
王的队伍。

zhōu wǔ wáng de jūn duì shì qì hěn
周武王的军队士气很
wàng yī lù shang lián lián huò shèng shāng jūn gēn běn dǐ dǎng bù zhù hěn kuài zhōu wǔ
旺，一路上连连获胜，商军根本抵挡不住。很快，周武
wáng de jūn duì jiù dǎ dào le lí shāng dū zhāo gē jǐn qī shí lǐ de mù yě zhōu wǔ
王的军队就打到了离商都朝歌仅七十里的牧野。周武
wáng jué dìng zài mù yě yǔ shāng jūn zhǎn kāi dà zhàn
王决定在牧野与商军展开大战。

zhèng zài xún huān zuò lè de zhòu wáng tīng dào dà jūn lái xí de xiāo xi jīng kǒng wàn
正在寻欢作乐的纣王听到大军来袭的消息，惊恐万
fēn huāng máng zǔ zhī jūn duì dǐ kàng kě shì dāng shí zhāo gē chéng li de shǒu chéng jūn
分，慌忙组织军队抵抗。可是，当时朝歌城里的守城军
duì bù duō tā zhǐ hǎo jiāng chéng nèi de nú lì hé zhuā lái de zhàn fú wǔ zhuāng qǐ lái
队不多，他只好将城内的奴隶和抓来的战俘武装起来，
pīn còu le qī shí wàn rén mǎ zhòu wáng xīn xiǎng zhōu wǔ wáng de jūn duì bù dào shí wàn
拼凑了七十万人马。纣王心想，周武王的军队不到十万
rén zì jǐ qī shí wàn rén de jūn duì yī dìng néng bǎ duì fāng dǎ de luò huā liú shuǐ
人，自己七十万人的军队一定能把对方打得落花流水。

于是，纣王满怀信心地亲自率领大军到牧野迎战。但纣王没想到的是，武王的军队虽然人数不多，但士兵们斗志激昂，而纣王军队里的奴隶和战俘平日受尽压迫和虐待，早就恨透了纣王，怎么会为他卖命呢？于是，战争一开始，商军中的奴隶和战俘纷纷举着长矛，掉转身去攻打纣王的军队。商军一下子就被打得七零八落，周军乘势追击，勇猛杀敌，大获全胜。

纣王眼看大势已去，慌忙逃进城里，但还没来得及关闭城门，周军就像洪水般冲了进来。绝望之际，纣王躲到鹿台，把金银财宝放在身边，然后放了一把火自杀了。商朝就此灭亡。

周武王灭掉商朝以后，建立了周朝，史称“西周”。

# 烽火戏诸侯

FENG HUO XI ZHU HOU

xī zhōu zì wǔ wáng jiàn guó kāi shǐ lì jīng le liǎng bǎi duō nián zuì hòu wáng
西周自武王建国开始，历经了两百多年。最后，王
wèi chuán dào le jī gōng shēng de shǒu li jī gōng shēng jiù shì lì shǐ shang yǒu míng de hūn
位传到了姬宫湦的手里。姬宫湦就是历史上有名的昏
jūn zhōu yōu wáng zhōu yōu wáng zuò wéi yī guó zhī jūn bù hǎo hǎo chǔ lǐ guó jiā dà
君周幽王。周幽王作为一国之君，不好好处理国家大
shì què zhěng tiān zài hòu gōng hé chǒng fēi xī xì
事，却整天在后宫和宠妃嬉戏。

zhōu yōu wáng yǒu yī gè měi rú tiān xiān de fēi zi jiào bāo sì bāo sì suī
周幽王有一个美如天仙的妃子，叫褒姒。褒姒虽
rán zhǎng de rú huā sì yù dàn duì rén lěng dàn zì jìn gōng yǐ lái yī zhí dōu méi yǒu
然长得如花似玉，但对人冷淡，自进宫以来一直都没有
xiào guo zhōu yōu wáng wèi le bó dé měi rén yī xiào xiǎng jìn le yī qiè bàn fǎ dàn
笑过。周幽王为了博得美人一笑，想尽了一切办法，但
dōu wèi néng rú yuàn yú shì zhōu yōu wáng xià lìng xuán shǎng zhǐ yào shéi néng ràng bāo sì
都未能如愿。于是，周幽王下令悬赏：只要谁能让褒姒
xiào yī xià jiù shǎng tā yī qiān liǎng jīn zi
笑一下，就赏他一千两金子。

yǒu gè jiān chén wèi le tǎo dé shǎng jīn hé zhōu yōu wáng de huān xīn jiù gěi zhōu
有个奸臣为了讨得赏金和周幽王的欢心，就给周
yōu wáng chū le yī gè zhǔ yi dà wáng nín bù rú gēn niáng niang shàng lí shān qù wán
幽王出了一个主意：“大王，您不如跟娘娘上骊山去玩。

咱们把烽火点着，诸侯见了必定带着兵马赶来，上个大当。娘娘看见这些人马被骗得跑来跑去，一定会笑的。”

昏庸的周幽王听了这个主意，居然拍手叫好，说：“就这么办！”

烽火是古代敌军入侵时的紧急报警信号。当时，周王朝为了防备西边犬戎的入侵，在京都镐京附近的骊山一带造了二十多座烽火台，每隔几里地就有一座。一旦犬戎攻打过来，首先发现敌情的哨兵就会立刻点燃烽火，邻近烽火台上的哨兵看到后，也跟着燃起烽火。当烽火台一个接一个地点燃，诸侯看到了，就会立即带兵前来救援。

周幽王带着褒姒上了骊山，命人把烽

huǒ diǎn qǐ lái gè dì de zhū hóu jiàn le guǒ rán yǐ wéi quǎn róng lái fàn lián máng
火点起来。各地的诸侯见了，果然以为犬戎来犯，连忙
dài bīng jiù jià dàn dāng tā men cōng cōng máng máng de gǎn dào yǐ hòu lián dí rén de
带兵救驾。但当他们匆匆忙忙地赶到以后，连敌人的
yǐng zi yě méi kàn jiàn zhǐ tīng dào shān shang yī zhèn zhèn zòu yuè hé chàng gē de shēng yīn
影子也没看见，只听到山上一阵阵奏乐和唱歌的声音，
zǐ xì yī qiáo yuán lái shì zhōu yōu wáng hé bāo sì zhèng zài gāo tái shang yǐn jiǔ zuò lè ne
仔细一瞧，原来是周幽王和褒姒正在高台上饮酒作乐呢。

zhè shí zhōu yōu wáng pài rén lái gěi zhū hóu chuán huà dà jiā xīn kǔ le dí
这时，周幽王派人来给诸侯传话：“大家辛苦了，敌
rén bìng méi yǒu lái zhè zhǐ bù guò shì dà wáng hé niáng niang fàng yān huo wán nǐ men huí
人并没有来，这只不过是大王和娘娘放烟火玩，你们回
qù ba zhū hóu yī tīng zhè huà qì de dù zi dōu kuài yào zhà le dàn yě zhǐ néng
去吧！”诸侯一听这话，气得肚子都快要炸了，但也只能
rěn qì tūn shēng de huí qù le
忍气吞声地回去了。

bāo sì kàn jiàn zhè me duō bīng mǎ bèi piàn de pǎo lái pǎo qù rěn bù zhù lěng xiào
褒姒看见这么多兵马被骗得跑来跑去，忍不住冷笑
le yī shēng zhōu yōu wáng jiàn měi rén yī xiào biàn gāo xìng de shǎng le yī qiān liǎng jīn zi
了一声。周幽王见美人一笑，便高兴地赏了一千两金子
gěi nà ge jiān chén hòu lái wèi le néng kàn
给那个奸臣。后来，为了能看

dào bāo sì xiào zhōu yōu wáng duō cì jiào rén diǎn rán fēng huǒ tái zhū hóu lǚ cì bèi yú
到褒姒笑，周幽王多次叫人点燃烽火台。诸侯屡次被愚
nòng jiàn jiàn de jiù bù lái le
弄，渐渐地就不来了。

bù jiǔ xī bian de quǎn róng zhēn de dǎ guò lái le zhōu yōu wáng lián máng xià lìng
不久，西边的犬戎真的打过来了，周幽王连忙下令
jiāng lí shān de fēng huǒ diǎn qǐ lái kě shì zhū hóu yǐ wéi zhè yòu shì zhōu yōu wáng de
将骊山的烽火点起来。可是，诸侯以为这又是周幽王的
wán lè bǎ xì quán dōu bù lǐ cǎi jié guǒ quǎn róng de rén mǎ hào hào dàng dàng de
玩乐把戏，全都不理睬。结果，犬戎的人马浩浩荡荡地
chōng jìn chéng lái bǎ lǎo bǎi xìng shā de shā qiǎng de qiǎng nián qīng rén dōu bèi zhuā qù
冲进城来，把老百姓杀的杀，抢的抢，年轻人都被抓去
zuò nú lì le zhōu yōu wáng yě bèi shā sǐ le
做奴隶了，周幽王也被杀死了。

zhōu yōu wáng sǐ hòu tā de ér zi zhōu píng wáng jì wèi wèi le fáng fàn quǎn
周幽王死后，他的儿子周平王继位。为了防范犬
róng zhōu píng wáng bǎ guó dū bān dào luò yì yīn wèi luò yì zài hào jīng de dōng bian
戎，周平王把国都搬到洛邑。因为洛邑在镐京的东边，
suǒ yǐ lì shǐ shang jiù bǎ zhōu cháo dìng dū zài luò yì hòu
所以历史上就把周朝定都在洛邑后
de shí qī chēng wéi dōng zhōu
的时期称为“东周”。

# 鲍叔牙荐管仲

BAO SHU YA JIAN GUAN ZHONG

dōng zhōu qián hòu gòng chí xù le wǔ bǎi duō nián kě fēn wéi chūn qiū hé zhàn
东周前后共持续了五百多年，可分为“春秋”和“战
guó liǎng gè shí qī
国”两个时期。

chūn qiū shí zhōu wáng de shì lì zhú jiàn jiǎn ruò gè zhū hóu guó zǒng shì dǎ
春秋时，周王的势力逐渐减弱。各诸侯国总是打
zhe wéi hù zhōu tiān zǐ de qí hào lái kuò dà zì jǐ de shì lì cóng ér chēng wáng chēng
着维护周天子的旗号来扩大自己的势力，从而称王称
bà hào lìng qí tā guó jiā
霸，号令其他国家。

qí huán gōng shì chūn qiū shí de dì yī rèn bà zhǔ tā néng chēng bà gè guó lí
齐桓公是春秋时的第一任霸主，他能称霸各国，离
bù kāi liǎng gè rén de fǔ zhù tā men jiù shì guǎn zhòng hé bào shū yá
不开两个人的辅助，他们就是管仲和鲍叔牙。

guǎn zhòng hé bào shū yá cóng xiǎo jiù shì hǎo péng you tā men nián qīng shí céng hé
管仲和鲍叔牙从小就是好朋友。他们年轻时曾合
huǒ zuò mǎi mai bào shū yá jiā li fù yù guǎn zhòng jiā li pín qióng suǒ yǐ běn qián
伙做买卖。鲍叔牙家里富裕，管仲家里贫穷，所以本钱
jī hū dōu shì bào shū yá ná chū lái de kě shì zhuàn le qián guǎn zhòng ná de zǒng
几乎都是鲍叔牙拿出来的。可是赚了钱，管仲拿的总
bǐ bào shū yá duō yǒu xiē huǒ ji kàn bù guò qù shuō guǎn zhòng tài tān cái
比鲍叔牙多。有些伙计看不过去，说管仲太贪财。

bào shū yá què shuō guǎn zhòng bù shì zhè yàng de rén tā jiā li bǐ jiào kùn
鲍叔牙却说:“管仲不是这样的人。他家里比较困
nan wǒ lè yì duō fēn gěi tā yī xiē
难,我乐意多分给他一些。”

chú le hé huǒ zuò shēng yi guǎn zhòng hé bào shū yá hái yī qǐ dǎ guo zhàng
除了合伙做生意,管仲和鲍叔牙还一起打过仗。
chōng fēng shí guǎn zhòng měi cì dōu duǒ zài duì wu de hòu miàn tuì bīng shí tā què pǎo
冲锋时,管仲每次都躲在队伍的后面;退兵时,他却跑
dào zuì qián miàn shì bīng men dōu mà guǎn zhòng shì yī gè tān shēng pà sǐ de rén
到最前面。士兵们都骂管仲是一个贪生怕死的人。

bào shū yá yòu jiě shì shuō guǎn zhòng de mǔ qīn nián lǎo duō bìng quán kào tā
鲍叔牙又解释说:“管仲的母亲年老多病,全靠他
yī rén zhào gù tā yào cóng zhàn chǎng shang huó zhe huí qù shì fèng
一人照顾,他要从战场上活着回去侍奉
tā de mǔ qīn a
他的母亲啊!”

hòu lái guǎn zhòng hé bào
后来,管仲和鲍
shū yá fēn bié fǔ zuǒ qí xiāng
叔牙分别辅佐齐襄
gōng de liǎng gè dì di gōng zǐ
公的两个弟弟:公子
jiū hé gōng zǐ xiǎo bái qí
纠和公子小白。齐
xiāng gōng hūn yōng cán bào guǎn
襄公昏庸残暴,管
zhòng hé bào shū yá yù
仲和鲍叔牙预
gǎn qí guó huì fā shēng
感齐国会发生

bào luàn yīn cǐ guǎn zhòng dài zhe gōng zǐ jiū duǒ dào le lǔ
暴乱，因此，管仲带着公子纠躲到了鲁
guó bào shū yá dài zhe gōng zǐ xiǎo bái táo qù le jǔ guó
国，鲍叔牙带着公子小白逃去了莒国。

bù jiǔ qí guó zhēn de chū xiàn le bào dòng qí xiāng gōng bù xìng bèi shā qí
不久，齐国真的出现了暴动，齐襄公不幸被杀。齐
guó méi yǒu le jūn zhǔ yú shì gōng zǐ jiū hé gōng zǐ xiǎo bái dōu jí zhe huí guó
国没有了君主，于是，公子纠和公子小白都急着回国
zhēng duó wáng wèi
争夺王位。

guǎn zhòng dān xīn gōng zǐ xiǎo bái qiǎng zài qián tou jiù dài zhe yī duì rén mǎ qù
管仲担心公子小白抢在前头，就带着一队人马去
jié zhù tā bìng xiàng gōng zǐ xiǎo bái shè le yī jiàn gōng zǐ xiǎo bái zhòng jiàn hòu dà
截住他，并向公子小白射了一箭。公子小白中箭后大
jiào yī shēng dǎo zài chē li guǎn zhòng yǐ wéi gōng zǐ xiǎo bái yǐ jīng sǐ le jiù bù
叫一声，倒在车里。管仲以为公子小白已经死了，就不
huāng bù máng de hù sòng gōng zǐ jiū huí qí guó
慌不忙地护送公子纠回齐国。

dàn guǎn zhòng méi xiǎng dào de shì tā shè zhòng de zhǐ bù guò shì gōng zǐ xiǎo bái
但管仲没想到的是，他射中的只不过是公子小白

的衣服，公子小白大叫倒下，是为了将计就计。骗过管仲后，公子小白抄近道抢先回到齐国，当上了齐国国君。公子小白就是齐桓公。

齐桓公即位以后，立即着手办两件事：一是杀掉管仲，报一箭之仇；二是封鲍叔牙为宰相，辅佐自己。

没想到，鲍叔牙却推辞说："大王要想治理好国家，宰相的位子非管仲莫属。"

齐桓公愤怒地说："管仲当初用箭射我，想要我的命，我恨不得将他碎尸万段，你还要我重用他？"

bào shū yá shuō nà shí guǎn zhòng wèi gōng zǐ jiū xiào mìng tā yòng jiàn shè nín
鲍叔牙说：“那时管仲为公子纠效命，他用箭射您，

zhèng shì tā duì gōng zǐ jiū de zhōng xīn lùn zhì guó cái néng tā bǐ wǒ qiáng de duō
正是他对公子纠的忠心。论治国才能，他比我强得多。

dà wáng rú guǒ xiǎng chēng bà tiān xià jiù yī dìng děi yòng guǎn zhòng
大王如果想称霸天下，就一定得用管仲。”

qí huán gōng shì gè huò dá dà dù de rén tīng le bào shū yá de huà jué de
齐桓公是个豁达大度的人，听了鲍叔牙的话，觉得

yǒu dào lǐ biàn fēng guǎn zhòng wéi zǎi xiàng ér bào shū yá xīn gān qíng yuàn de zuò le guǎn
有道理，便封管仲为宰相，而鲍叔牙心甘情愿地做了管

zhòng de fù shǒu
仲的副手。

guǎn zhòng dāng shàng zǎi xiàng hòu chōng fèn fā huī tā de zhèng zhì cái néng shǐ qí
管仲当上宰相后，充分发挥他的政治才能，使齐

guó yuè lái yuè qiáng shèng qí huán gōng yóu
国越来越强盛。齐桓公由

cǐ chēng bà sì fāng
此称霸四方。

# 晋文公退避三舍

JIN WEN GONG TUI BI SAN SHE

gōng yuán qián nián jìn xiàn gōng qù shì jìn guó fā shēng nèi luàn jìn xiàn
公元前651年，晋献公去世，晋国发生内乱。晋献
gōng de ér zi chóng ěr táo chū jìn guó zài wài liú wáng le shí jǐ nián hòu lái chóng
公的儿子重耳逃出晋国，在外流亡了十几年。后来，重
ěr liú luò dào chǔ guó chǔ chéng wáng rèn wéi chóng ěr shì gè rén cái biàn bǎ tā ān
耳流落到楚国。楚成王认为重耳是个人才，便把他安
zhì zài chǔ guó de dū chéng yǐng hái yòng zhāo dài guì bīn de lǐ jié kuǎn dài tā
置在楚国的都城郢，还用招待贵宾的礼节款待他。

yī tiān chǔ chéng wáng shè yàn zhāo dài chóng ěr xí jiān tā wèn chóng ěr rú
一天，楚成王设宴招待重耳。席间，他问重耳："如
guǒ yǒu yī tiān nǐ huí dào jìn guó dāng shàng le guó jūn nǐ huì zěn yàng bào dá wǒ ne
果有一天你回到晋国，当上了国君，你会怎样报答我呢？"

chóng ěr xiǎng le xiǎng shuō rú guǒ wǒ zhēn de néng huí guó dāng zhèng de huà wǒ
重耳想了想说："如果我真的能回国当政的话，我
yuàn yǔ guì guó jiāo hǎo rú guǒ yǒu yī tiān jìn chǔ liǎng guó fā shēng zhàn zhēng wǒ yī
愿与贵国交好。如果有一天，晋楚两国发生战争，我一
dìng huì tuì bì sān shè yī shè wéi sān shí lǐ lái bào dá nín de ēn qíng
定会退避三舍（一舍为三十里），来报答您的恩情！"

jiǔ yàn guò hòu chǔ guó dà chén zǐ yù duì chǔ chéng wáng shuō chóng ěr zhì xiàng
酒宴过后，楚国大臣子玉对楚成王说："重耳志向
yuǎn dà yòu yǒu cái néng tā de suí cóng yě shì jiàng xiàng zhī cái rú guǒ nín ràng tā huí
远大又有才能，他的随从也是将相之才，如果您让他回

国，日后必定会成为楚国的大敌。不如，现在就除掉他吧！”楚成王听了不以为然。

四年后，重耳回到了晋国，并继承了王位，他就是晋文公。晋文公即位以后，大力改革朝政，发展生产，晋国很快就强盛起来。但晋文公并不满足于此，他希望像齐桓公那样，做中原的霸主。

当时，楚国兵强马壮，晋文公要想称霸中原，就得打败楚国。公元前632年，晋楚两国不可避免地交战了。战争一开始，子玉就率领楚军气势汹汹地扑向晋军。而晋文公立刻命令军队往后撤退三十里。楚军见晋军后退，以为对方胆怯了，马上追击。晋文公又下令全军后退三十里。子玉见状十分得意，继续追击。晋军又后退了三十里，一直退到了城濮（今山东鄄城西南）。

晋军中有些将士非常不解，觉得这是长他人志气，灭自己威风。晋文公解释说：“当初我流落到楚国，楚

chéng wáng céng jīng bāng zhù guo wǒ wǒ céng xiàng chǔ chéng wáng xǔ xià nuò yán rú guǒ jìn
成王曾经帮助过我。我曾向楚成王许下诺言，如果晋
chǔ liǎng guó jiāo zhàn wǒ yī dìng huì tuì bì sān shè wǒ shì bù huì shī xìn de
楚两国交战，我一定会退避三舍，我是不会失信的。”

zhè shí zǐ yù pài rén xiàng jìn wén gōng xià le zhàn shū dà mà jìn wén gōng wàng
这时，子玉派人向晋文公下了战书，大骂晋文公忘
ēn fù yì jìn wén gōng huí xìn shuō guì guó de ēn huì wǒ yī zhí bù gǎn wàng
恩负义。晋文公回信说：“贵国的恩惠，我一直不敢忘
jì suǒ yǐ tuì bì sān shè bù gǎn yǔ chǔ duì kàng jì rán jiāng jūn yī dìng yào zhàn
记，所以退避三舍，不敢与楚对抗。既然将军一定要战，
nà wǒ men zhǐ néng zài zhàn chǎng shang xiāng jiàn le
那我们只能在战场上相见了。”

dì èr tiān dà zhàn kāi shǐ le shuāng fāng jiāo shǒu bù jiǔ jìn jūn jiǎ zhuāng
第二天，大战开始了。双方交手不久，晋军假装
bīng bài jūn duì xiàng hòu chè tuì zǐ yù xià lìng quán lì zhuī gǎn jié guǒ zhòng le jìn
兵败，军队向后撤退。子玉下令全力追赶，结果中了晋

jūn de mái fú jìn jūn de jīng ruì bù duì měng chōng guò lái chǔ jūn dùn shí luàn chéng
军的埋伏。晋军的精锐部队猛冲过来，楚军顿时乱成
yī tuán yuán lái jiǎ zhuāng bài tuì de jìn jūn yě diào zhuǎn shēn lái qián hòu jiā jī
一团。原来假装败退的晋军也掉转身来，前后夹击，
bǎ chǔ jūn shā de luò huā liú shuǐ
把楚军杀得落花流水。

jiù zhè yàng chéng pú zhī zhàn yǐ jìn jūn shèng lì ér gào zhōng jìn guó dǎ bài
就这样，城濮之战以晋军胜利而告终。晋国打败
chǔ guó de xiāo xi chuán dào zhōu dū luò yì zhōu xiāng wáng qīn zì lái dào jiàn tǔ jīn hé
楚国的消息传到周都洛邑，周襄王亲自来到践土（今河
nán yuán yáng xī nán wèi láo jìn jūn jìn wén gōng chèn cǐ jī huì zài jiàn tǔ yuē le
南原阳西南）慰劳晋军。晋文公趁此机会，在践土约了
gè zhū hóu guó zhào kāi dà huì dìng lì méng yuē zì cǐ jìn wén gōng dāng shàng le
各诸侯国召开大会，订立盟约。自此，晋文公当上了
zhōng yuán de bà zhǔ
中原的霸主。

# 楚庄王一鸣惊人

CHU ZHUANG WANG YI MING JING REN

gōng yuán qián nián chǔ mù wáng qù shì dí zhǎng zǐ xióng lǚ jì wèi tā jiù
公元前613年，楚穆王去世，嫡长子熊旅继位，他就
shì lì shǐ shang yǒu míng de chǔ zhuāng wáng dāng shí jìn guó chèn chǔ guó zhèng quán xīn jiù
是历史上有名的楚庄王。当时，晋国趁楚国政权新旧
jiāo tì zhī jì bǎ jǐ gè yuán běn guī fù chǔ guó de zhū hóu guó lā le guò qù dìng
交替之际，把几个原本归附楚国的诸侯国拉了过去，订
lì méng yuē jìn guó yòu zuò le méng zhǔ
立盟约，晋国又做了盟主。

chǔ guó de dà chén hěn bù gān xīn fēn fēn xiàng chǔ zhuāng wáng jìn jiàn chū bīng qù
楚国的大臣很不甘心，纷纷向楚庄王进谏出兵去
zhēng bà zhǔ dì wèi kě shì chǔ zhuāng wáng wán quán bù bǎ guó jiā dà shì fàng zài xīn
争霸主地位。可是，楚庄王完全不把国家大事放在心
shang bái tiān chū qù dǎ liè wǎn shang hē jiǔ tīng yīn yuè kàn wǔ dǎo zhōng rì zuì
上，白天出去打猎，晚上喝酒、听音乐、看舞蹈，终日醉
shēng mèng sǐ ér qiě tā bù jǐn bù tīng dà chén de quàn gào hái xià le yī dào mìng
生梦死。而且，他不仅不听大臣的劝告，还下了一道命
lìng shéi gǎn quàn jiàn jiù chǔ yǐ sǐ zuì
令："谁敢劝谏，就处以死罪。"

jiù zhè yàng chǔ zhuāng wáng guò le sān nián huāng dàn de shēng huó bù fā rèn hé
就这样，楚庄王过了三年荒诞的生活，不发任何
hào lìng zài cháo zhèng fāng miàn yě méi yǒu rèn hé zuò wéi yǒu yī gè jiào wǔ jǔ de
号令，在朝政方面也没有任何作为。有一个叫伍举的

dà chén yǎn kàn guó nèi cháo zhèng bù wěn guó wài qiáng dí yě xīn bó bó fēi cháng dān
大臣眼看国内朝政不稳，国外强敌野心勃勃，非常担
yōu rán ér tā bù gǎn chù fàn chǔ zhuāng wáng de mìng lìng zhí jiē jìn jiàn biàn jiǎo
忧。然而，他不敢触犯楚庄王的命令直接进谏，便绞
jìn nǎo zhī xiǎng le yī gè ràng chǔ zhuāng wáng qīng xǐng guò lái de bàn fǎ
尽脑汁想了一个让楚庄王清醒过来的办法。

yī tiān chǔ zhuāng wáng zhèng zài hé chǒng fēi men hē jiǔ wán lè wǔ jǔ jiàn chǔ
一天，楚庄王正在和宠妃们喝酒玩乐。伍举见楚
zhuāng wáng xīn qíng yú yuè biàn shuō dà wáng yǒu rén gěi wǒ chū le gè mí yǔ wǒ
庄王心情愉悦，便说：“大王，有人给我出了个谜语，我
zěn me yě cāi bù chū lái nín cōng míng guò rén suǒ yǐ wǒ xiǎng xiàng nín qǐng jiào
怎么也猜不出来，您聪明过人，所以我想向您请教。”

chǔ zhuāng wáng yī tīng shì cāi mí yǔ lì kè lái le xìng zhì wèn shén me
楚庄王一听是猜谜语，立刻来了兴致，问：“什么
mí yǔ shuō lái tīng tīng
谜语？说来听听。”

wǔ jǔ shuō chǔ jīng yǒu dà niǎo qī zài cháo tíng shang lì shí sān nián zhěng
伍举说：“‘楚京有大鸟，栖在朝廷上。历时三年整，
bù fēi yě bù jiào lìng rén hǎo fèi jiě dào dǐ wèi hé gù qǐng wèn dà wáng nín
不飞也不叫。令人好费解，到底为何故？’请问大王，您
zhī dào zhè shì shén me niǎo ma
知道这是什么鸟吗？”

chǔ zhuāng wáng xiǎng le xiǎng zhī dào mí yǔ àn shì de shì zì jǐ biàn xiào le
楚庄王想了想，知道谜语暗示的是自己，便笑了
xiào shuō zhè kě bù shì pǔ tōng de niǎo zhè zhī niǎo a sān nián bù fēi yī fēi
笑说：“这可不是普通的鸟。这只鸟啊，三年不飞，一飞
chōng tiān sān nián bù míng yī míng jīng rén nǐ děng zhe qiáo ba
冲天；三年不鸣，一鸣惊人。你等着瞧吧！”

wǔ jǔ tīng míng bai le chǔ zhuāng wáng de yì si gāo xìng de tuì le chū lái
伍举听明白了楚庄王的意思，高兴地退了出来。

guǒ rán jǐ gè yuè hòu chǔ zhuāng wáng
果然，几个月后，楚庄王
kāi shǐ qīn lǐ cháo zhèng tā yī miàn gǎi gé zhèng zhì tí bá wǔ jǔ
开始亲理朝政，他一面改革政治，提拔伍举
děng xián chén dān rèn zhòng yào zhí wù yī miàn zhāo bīng mǎi mǎ xùn liàn jūn duì bù jiǔ
等贤臣担任重要职务；一面招兵买马，训练军队。不久，
chǔ guó zhèng jú wěn dìng bǎi xìng ān jū lè yè guó jiā yě qiáng dà le qǐ lái
楚国政局稳定，百姓安居乐业，国家也强大了起来。

jǐ nián shí jiān bù dào chǔ zhuāng wáng zhēng fú le nán fāng de xǔ duō xiǎo bù zú
几年时间不到，楚庄王征服了南方的许多小部族。
gōng yuán qián nián chǔ guó dǎ bài le sòng guó gōng yuán qián nián chǔ zhuāng
公元前608年，楚国打败了宋国。公元前606年，楚庄
wáng yòu qīn zì shuài lǐng dà jūn dǎ bài le lù hún jīn hé nán sōng xiàn dōng běi de róng
王又亲自率领大军打败了陆浑（今河南嵩县东北）的戎
zú zhè yàng chǔ guó gèng jiā qiáng dà qǐ lái guó jiā shí lì gǎn de shàng jìn guó le
族。这样，楚国更加强大起来，国家实力赶得上晋国了。

gōng yuán qián nián chǔ jūn zài bì dì jīn hé nán xíng yáng běi gēn jìn jūn
公元前597年，楚军在邲地（今河南荥阳北）跟晋军

jìn xíng le yī cháng dà zhàn jìn jūn yī bài tú dì shì bīng men sì sàn táo mìng shāng
进行了一场大战。晋军一败涂地，士兵们四散逃命，伤

wáng rén shù chāo guò yī dà bàn yǒu rén quàn chǔ zhuāng wáng bǎ jìn jūn gǎn jìn shā jué
亡人数超过一大半。有人劝楚庄王把晋军赶尽杀绝。

chǔ zhuāng wáng shuō zhè cháng shèng zhàng zhōng yú mǒ qù le chéng pú zhī zhàn de
楚庄王说：“这场胜仗终于抹去了城濮之战的

chǐ rǔ bù guò jìn chǔ liǎng guó de shí lì qí gǔ xiāng dāng jìn guó miè bù liǎo chǔ
耻辱。不过，晋楚两国的实力旗鼓相当，晋国灭不了楚

guó chǔ guó yě miè bù liǎo jìn guó hái shi jiǎng hé ba shuō wán chǔ zhuāng wáng lì
国，楚国也灭不了晋国，还是讲和吧！”说完，楚庄王立

kè xià lìng shōu bīng ràng jìn guó de rén mǎ táo le huí qù
刻下令收兵，让晋国的人马逃了回去。

jīng cǐ yī zhàn zhè wèi yī míng jīng rén de chǔ zhuāng wáng yě zuò le bà zhǔ
经此一战，这位“一鸣惊人”的楚庄王也做了霸主。

# 晏子使楚

YAN ZI SHI CHU

yàn zǐ shì chūn qiū mò qī qí guó de dà fū yǒu yī cì tā fèng mìng chū
晏子是春秋末期齐国的大夫。有一次，他奉命出
shǐ chǔ guó chǔ wáng zhàng zhe guó lì qiáng shèng xiǎng chéng jī wǔ rǔ qí guó de shǐ zhě
使楚国。楚王仗着国力强盛，想乘机侮辱齐国的使者，
xiǎn yī xiǎn chǔ guó de wēi fēng tā dé zhī yàn zǐ shēn cái ǎi xiǎo jiù zài dū chéng
显一显楚国的威风。他得知晏子身材矮小，就在都城
chéng mén páng biān kāi le yī gè xiǎo dòng xiǎng ràng yàn zǐ cóng xiǎo dòng li zuān jìn qù
城门旁边开了一个小洞，想让晏子从小洞里钻进去。

yàn zǐ suī rán gè tóu ǎi xiǎo què jī zhì guò rén néng yán shàn biàn tā lái
晏子虽然个头矮小，却机智过人，能言善辩。他来
dào chǔ guó hòu shǒu chéng wèi bīng àn zhào chǔ wáng de fēn fù guān bì le chéng mén jiào
到楚国后，守城卫兵按照楚王的吩咐，关闭了城门，叫
yàn zǐ cóng xiǎo dòng li zuān jìn qù
晏子从小洞里钻进去。

yàn zǐ zhī dào chǔ wáng de yòng yì biàn shuō zhè nǎ lǐ shì chéng mén fēn míng
晏子知道楚王的用意，便说："这哪里是城门，分明
shì gǒu dòng rú guǒ wǒ fǎng wèn de shì gǒu guó de huà nà me wǒ yuàn yì zuān
是狗洞。如果我访问的是'狗国'的话，那么我愿意钻
gǒu dòng qǐng nǐ xiān qù wèn qīng chu chǔ guó dào dǐ shì gè zěn yàng de guó jiā
狗洞。请你先去问清楚，楚国到底是个怎样的国家？"

wèi bīng bǎ yàn zǐ de huà bào gào gěi chǔ wáng chǔ wáng lèng le lèng zěn me néng
卫兵把晏子的话报告给楚王。楚王愣了愣，怎么能

chéng rèn zì jǐ de guó jiā shì gǒu guó ne tā zhǐ hǎo jiào rén dǎ kāi chéng mén yíng
承认自己的国家是狗国呢？他只好叫人打开城门，迎
jiē yàn zǐ jìn lái
接晏子进来。

chǔ wáng jiàn le yàn zǐ hòu qǔ xiào shuō nán dào qí guó méi yǒu rén le ma
楚王见了晏子后，取笑说：“难道齐国没有人了吗？”

yàn zǐ huí dá shuō wǒ men qí guó dū chéng li zhù le qī qiān duō hù rén jiā
晏子回答说：“我们齐国都城里住了七千多户人家，
jiē shang rén lái rén wǎng zhǐ yào dà jiā jǔ yī jǔ xiù zi jiù néng lián qǐ lái zhē zhù
街上人来人往。只要大家举一举袖子，就能连起来遮住
tài yáng shuǎi yī shuǎi hàn jiù néng xíng chéng yī cháng dà yǔ zǒu lù de rén jiān bǎng cā
太阳；甩一甩汗，就能形成一场大雨；走路的人肩膀擦
zhe jiān bǎng jiǎo jiān āi zhe jiǎo gēn dà wáng wèi shén me shuō qí guó méi yǒu rén ne
着肩膀，脚尖挨着脚跟。大王为什么说齐国没有人呢？”

chǔ wáng shuō nà wèi shén me pài nǐ zhè yàng de rén lái zuò shǐ chén ne
楚王说：“那为什么派你这样的人来做使臣呢？”

yàn zǐ tīng hòu zhuāng chū wéi nán de yàng zi shuō dà wáng nín de zhè ge wèn
晏子听后，装出为难的样子说："大王，您的这个问
tí wǒ pà shuō shí huà huì rě nín shēng qì bù shuō shí huà yòu fàn le qī mán zhī zuì
题，我怕说实话会惹您生气，不说实话又犯了欺瞒之罪。"

chǔ wáng yī xīn xiǎng ràng yàn zǐ chū chǒu biàn shuō nǐ jiù fàng xīn shuō ba guǎ
楚王一心想让晏子出丑，便说："你就放心说吧，寡
rén bù huì shēng qì
人不会生气。"

yú shì yàn zǐ gǒng shǒu shuō dào wǒ men qí guó pài qiǎn shǐ zhě yǒu gè guī
于是，晏子拱手说道："我们齐国派遣使者有个规
ju rú guǒ shì fǎng wèn xián néng de jūn zhǔ ne jiù pài yǒu cái néng de rén qù rú
矩，如果是访问贤能的君主呢，就派有才能的人去；如
guǒ shì fǎng wèn bù xián néng de jūn zhǔ nà jiù pài méi yǒu cái néng de rén qù wǒ shì
果是访问不贤能的君主，那就派没有才能的人去。我是
qí guó zuì méi yǒu cái néng de rén zhǐ pèi pài dào zhè lǐ lái le chǔ wáng tīng le
齐国最没有才能的人，只配派到这里来了。"楚王听了，
àn àn shēng qì dàn yòu wú kě nài hé
暗暗生气，但又无可奈何。

jiē zhe chǔ wáng ān pái jiǔ xí zhāo dài yàn zǐ zhèng dāng dà jiā hē de gāo
接着，楚王安排酒席招待晏子。正当大家喝得高
xìng shí liǎng gè shì bīng yā zhe yī gè rén zǒu le guò lái zhè qí shí shì chǔ wáng
兴时，两个士兵押着一个人走了过来。这其实是楚王
shì xiān ān pái hǎo de tā jiǎ zhuāng bù zhī qíng wèn zhè ge rén fàn le shén me zuì
事先安排好的，他假装不知情，问："这个人犯了什么罪？"

shì bīng huí dá bào gào dà wáng zhè shì gè qí guó rén fàn le dào qiè zuì
士兵回答："报告大王，这是个齐国人，犯了盗窃罪！"

chǔ wáng lì kè xiào zhe duì yàn zǐ shuō nǐ men qí guó rén zěn me zhè me méi
楚王立刻笑着对晏子说："你们齐国人怎么这么没
chū xi jìng rán zuò zhè zhǒng tōu jī mō gǒu de gòu dàng
出息，竟然做这种偷鸡摸狗的勾当？"

nǎ zhī yàn zǐ miàn bù gǎi sè shuō dà wáng nín bù zhī dào ma jú shù
哪知晏子面不改色，说：“大王，您不知道吗？橘树
zhǎng zài huái nán jiē chū lái de jú zi yòu dà yòu tián kě shì yī zhòng dào huái běi
长在淮南，结出来的橘子又大又甜；可是一种到淮北，
jiù zhǐ néng jiē chū yòu xiǎo yòu kǔ de zhǐ zi zhè dōu shì shuǐ tǔ bù tóng de yuán gù a
就只能结出又小又苦的枳子，这都是水土不同的缘故啊。
tóng yàng de dào lǐ qí guó rén zài qí guó néng ān jū lè yè kě dào le chǔ guó jiù
同样的道理，齐国人在齐国能安居乐业，可到了楚国，就
biàn chéng le xiǎo tōu nán dào shì chǔ guó de shuǐ tǔ huì ràng rén shàn yú tōu dào ma
变成了小偷，难道是楚国的水土会让人善于偷盗吗？”

chǔ wáng tīng le bù zhī dào rú hé fǎn bó chǔ guó de dà chén yě zì zhī bù
楚王听了，不知道如何反驳。楚国的大臣也自知不
shì yàn zǐ de duì shǒu quán dōu yǎ kǒu wú yán
是晏子的对手，全都哑口无言。

jīng guò zhè yī lián chuàn de jiào liàng zhī hòu chǔ wáng duì yàn zǐ chōng mǎn le jìng
经过这一连串的较量之后，楚王对晏子充满了敬
yì kāi shǐ hǎo hǎo de zhāo dài tā yàn zǐ shùn lì de wán chéng le chū shǐ rèn wu
意，开始好好地招待他。晏子顺利地完成了出使任务。

# 大思想家、教育家孔子

DA SI XIANG JIA JIAO YU JIA KONG ZI

孔子，名丘，字仲尼，是鲁国陬邑（今山东曲阜东南）人。孔子自小聪明好学，读书用功。当时读书人基本要学的“六艺”，即礼节、音乐、射箭、驾车、读写、计算，他都十分精通。

由于孔子能力超凡、学识丰富，工作做得非常出色。他做过管理仓库的小吏，出入的钱粮有条有理；后来又当管理牧业的小吏，牛羊越来越多。没到三十岁，他的名声就传了开去。

渐渐地，有人来拜孔子为师。孔子办了个私塾，收起学生来。不久，这些学生遍及各诸侯国，孔子的名气也越来越大了。

hòu lái kǒng zǐ kāi shǐ zhōu yóu liè guó xuān chuán zì jǐ de zhèng zhì zhǔ zhāng
后来，孔子开始周游列国，宣传自己的政治主张，
dàn tā de zhè xiē guān diǎn chù fàn le dāng shí zhū hóu guó zhǎng quán zhě de lì yì suǒ
但他的这些观点触犯了当时诸侯国掌权者的利益，所
yǐ méi yǒu yī gè guó jiā rèn yòng tā zuì hòu zài xué shēng mèng sūn wú jì de tuī jiàn
以没有一个国家任用他。最后在学生孟孙无忌的推荐
xià kǒng zǐ dāng le lǔ guó de sī kòu guǎn sī fǎ de zhǎng guān
下，孔子当了鲁国的司寇（管司法的长官）。

dāng shí wú guó rì yì qiáng shèng qí jǐng gōng hé dà chén yàn zǐ wèi le duì kàng
当时，吴国日益强盛，齐景公和大臣晏子为了对抗
wú guó dǎ suàn hé jìn lín lǔ guó lián hé qǐ lái yú shì qí jǐng gōng biàn yuē lǔ
吴国，打算和近邻鲁国联合起来。于是，齐景公便约鲁
dìng gōng zài qí lǔ jiāo jiè de jiā gǔ huì méng
定公在齐鲁交界的夹谷会盟。

lǔ dìng gōng bǎ zhǔn bèi dào jiā gǔ yǔ qí guó huì méng de shì gào su le kǒng zǐ
鲁定公把准备到夹谷与齐国会盟的事告诉了孔子。

kǒng zǐ xiàng lǔ dìng gōng jiàn yì dào qí guó lǚ cì qīn fàn wǒ guó biān jìng
孔子向鲁定公建议道：“齐国屡次侵犯我国边境，
zhè cì huì méng wǒ men yào dài zhe bīng mǎ qián qù
这次会盟，我们要带着兵马前去，

以防有诈。”鲁定公同意了，便让左右司马（掌管军事的官员）带上精兵一起去会盟。

齐景公本打算在会盟时劫持鲁定公，从而吞并鲁国，现在见对方人马齐全，自知阴谋被孔子识破。

齐景公不甘心，想设计羞辱鲁国。

在订立盟誓之时，齐景公命人献乐助兴，让男女乐工唱关于鲁国夫人文姜淫乱的诗歌。

孔子非常生气，说：“匹夫羞辱诸侯，罪该处死！请

qí jǐng gōng xià lìng ràng qí guó sī mǎ zhí fǎ
齐景公下令，让齐国司马执法！”

qí jǐng gōng jiǎ zhuāng méi tīng dào rèn yóu yuè gōng jì xù cháo xiào lǔ guó
齐景公假装没听到，任由乐工继续嘲笑鲁国。

kǒng zǐ jí zhōng shēng zhì shuō dào jì rán qí lǔ liǎng guó yǐ jīng chéng wéi méng
孔子急中生智，说道：“既然齐鲁两国已经成为盟
guó nà me lǔ guó sī mǎ zhí fǎ yě shì yī yàng de shuō wán biàn ràng lǔ guó sī
国，那么鲁国司马执法也是一样的。”说完，便让鲁国司
mǎ tuō chū yuè duì de lǐng duì shā le
马拖出乐队的领队杀了。

zhè xià yuè gōng men xià de fā dǒu bù gǎn zài fā chū shēng yīn lái lián qí
这下，乐工们吓得发抖，不敢再发出声音来，连齐
jǐng gōng yě dà wéi kǒng jù hòu lái qí jǐng gōng zì zhī lǐ kuī gǎn jué zài dào yì
景公也大为恐惧。后来，齐景公自知理亏，感觉在道义
shang bù rú lǔ guó jiù bǎ xiān qián qīn zhàn lǔ guó de sān chù tǔ dì guī huán gěi lǔ
上不如鲁国，就把先前侵占鲁国的三处土地归还给鲁
guó yǐ cǐ xiàng lǔ guó dào qiàn
国，以此向鲁国道歉。

yóu yú kǒng zǐ zài huì méng shang de chū sè biǎo xiàn lǔ dìng gōng cóng cǐ gèng jiā
由于孔子在会盟上的出色表现，鲁定公从此更加
xìn rèn hé zhòng yòng kǒng zǐ ér kǒng zǐ yě méi yǒu gū fù hòu wàng tā shī zhǎn zì
信任和重用孔子。而孔子也没有辜负厚望，他施展自
jǐ de cái néng fǔ zhù lǔ dìng gōng bǎ guó jiā zhì lǐ de xīn xīn xiàng róng
己的才能，辅助鲁定公把国家治理得欣欣向荣。

qí jǐng gōng hài pà lǔ guó qiáng dà qǐ lái jiù xiǎng le gè bàn fǎ lí jiàn lǔ dìng
齐景公害怕鲁国强大起来，就想了个办法离间鲁定
gōng hé kǒng zǐ tā mìng rén xuǎn le yī pī měi nǚ sòng gěi lǔ dìng gōng ràng lǔ dìng
公和孔子。他命人选了一批美女送给鲁定公，让鲁定
gōng chén mí nǚ sè shū yuǎn kǒng zǐ
公沉迷女色，疏远孔子。

méi xiǎng dào zhè ge bàn fǎ guǒ rán zòu xiào
没想到，这个办法果然奏效。

cóng cǐ lǔ dìng gōng rì yè xún huān zuò lè bù lǐ cháo zhèng kǒng zǐ duō cì quàn
从此，鲁定公日夜寻欢作乐，不理朝政。孔子多次劝

jiàn dàn lǔ dìng gōng zài yě tīng bù jìn qù le kǒng zǐ zhǐ hǎo lí kāi lǔ guó dài
谏，但鲁定公再也听不进去了。孔子只好离开鲁国，带

zhe yī xiē xué shēng zài cì dào gè guó yóu lì
着一些学生再次到各国游历。

kǒng zǐ xiān hòu yóu lì le wèi guó sòng guó zhèng guó chén guó cài guó chǔ
孔子先后游历了卫国、宋国、郑国、陈国、蔡国、楚

guó děng xǔ duō guó jiā dàn dōu méi yǒu guó jūn rèn yòng tā zuì hòu tā zhǐ hǎo zhǎn
国等许多国家，但都没有国君任用他。最后，他只好辗

zhuǎn huí dào le lǔ guó
转回到了鲁国。

zhè shí kǒng zǐ de nián jì yǐ jīng hěn dà le tā fàng qì le cóng zhèng de
这时，孔子的年纪已经很大了。他放弃了从政的
niàn tou kāi shǐ bǎ jīng lì fàng zài zhù shū lì shuō hé jiāo shòu xué shēng shàng miàn
念头，开始把精力放在著书立说和教授学生上面。

tā xì tǒng de zhěng lǐ le xǔ duō gǔ dài diǎn jí rú zhōu yì shàng shū
他系统地整理了许多古代典籍，如《周易》《尚书》
shī jīng lǐ yuè děng tā yī jù lǔ guó shǐ guān suǒ biān lǔ shǐ zhěng lǐ xiū
《诗经》《礼》《乐》等；他依据鲁国史官所编鲁史整理修
dìng chéng chūn qiū yī shū zhè bù shū jì zǎi le cóng lǔ yǐn gōng yuán nián gōng yuán
订成《春秋》一书，这部书记载了从鲁隐公元年（公元
qián nián dào lǔ āi gōng shí sì nián gōng yuán qián nián wǒ guó lì shǐ shang
前722年）到鲁哀公十四年（公元前481年）我国历史上
de zhòng dà shì jiàn shì wéi jīn suǒ chuán zuì zǎo de biān nián tǐ shǐ xué zhù zuò
的重大事件，是为今所传最早的编年体史学著作。

cǐ wài kǒng zǐ de yán xíng yóu tā de dì zǐ jí qí zài chuán dì zǐ jì lù
此外，孔子的言行，由他的弟子及其再传弟子记录
xià lái biān chéng lún yǔ yī shū xiāng chuán tā péi yǎng de xué shēng yǒu sān qiān rén
下来，编成《论语》一书。相传他培养的学生有三千人，
qí zhōng zhuó yǒu chéng jiù de yǒu qī shí èr rén
其中卓有成就的有七十二人。

gōng yuán qián nián kǒng zǐ qù shì tā sǐ hòu tā de dì zǐ jì xù
公元前479年，孔子去世。他死后，他的弟子继续
chuán shòu tā de xué shuō fā zhǎn chéng le rú jiā xué pài kǒng zǐ zé shì rú jiā xué pài
传授他的学说，发展成了儒家学派，孔子则是儒家学派
de chuàng shǐ rén kǒng zǐ de xué shù sī xiǎng yǐng xiǎng shēn yuǎn tā bèi gōng rèn wéi wǒ
的创始人。孔子的学术思想影响深远，他被公认为我
guó gǔ dài dì yī wèi dà sī xiǎng jiā dà jiào yù jiā
国古代第一位大思想家、大教育家。

# 勾践卧薪尝胆

GOU JIAN WO XIN CHANG DAN

chūn qiū mò qī wú guó hé yuè guó zhī jiān jīng cháng fā shēng zhàn zhēng wú wáng
春秋末期，吴国和越国之间经常发生战争。吴王
hé lǘ zài yī cì zhàn dòu zhōng bīng bài shēn wáng tā de ér zi fū chāi jì wèi hòu rì
阖闾在一次战斗中兵败身亡，他的儿子夫差继位后，日
yè cāo liàn bīng mǎ yī xīn xiǎng tì fù bào chóu
夜操练兵马，一心想替父报仇。

hòu lái wú yuè zài cì kāi zhàn wú guó dǎ bài le yuè guó yǎn kàn yuè guó
后来，吴越再次开战，吴国打败了越国。眼看越国
jiù yào miè wáng le yuè wáng gōu jiàn shí fēn dān yōu hǎo zài tā yǒu liǎng gè chū sè de
就要灭亡了，越王勾践十分担忧。好在他有两个出色的
móu chén yī gè jiào fàn lǐ yī gè jiào wén zhǒng
谋臣：一个叫范蠡，一个叫文种。

fàn lǐ xiàng gōu jiàn jiàn yì dà wáng xiàn zài qíng kuàng wēi jí wǒ men zhǐ néng
范蠡向勾践建议："大王，现在情况危急，我们只能
xiàng wú guó qiú hé le
向吴国求和了。"

gōu jiàn cǎi nà le fàn lǐ de yì jiàn pài wén zhǒng qù xiàng wú wáng fū chāi qiú
勾践采纳了范蠡的意见，派文种去向吴王夫差求
hé wén zhǒng dǎ ting dào wú guó dà chén bó pǐ tān cái hào sè jiù dài zhe xǔ duō jīn
和。文种打听到吴国大臣伯嚭贪财好色，就带着许多金
yín cái bǎo hé měi nǚ qù huì lù tā ràng tā zài fū chāi miàn qián shuō hǎo huà
银财宝和美女去贿赂他，让他在夫差面前说好话。

bó pǐ dé dào lǐ wù fēi cháng gāo xìng jiù fèi jìn kǒu shé de qù quàn shuō fū
伯嚭得到礼物非常高兴，就费尽口舌地去劝说夫
chāi zuì zhōng fū chāi bèi bó pǐ shuō fú tā bù gù dà chén wǔ zǐ xū de fǎn
差。最终，夫差被伯嚭说服。他不顾大臣伍子胥的反
duì bǎo liú le yuè guó dàn shì yào gōu jiàn fū fù dào wú guó lái zuò nú pú
对，保留了越国，但是要勾践夫妇到吴国来做奴仆。

wèi le bǎo zhù guó jiā gōu jiàn dā ying le zhè ge qū rǔ de tiáo jiàn lín
为了保住国家，勾践答应了这个屈辱的条件。临
zǒu qián tā bǎ guó shì jiāo gěi wén zhǒng chǔ lǐ rán hòu dài zhe qī zi hé fàn lǐ dào
走前，他把国事交给文种处理，然后带着妻子和范蠡到
wú guó qù cì hou fū chāi
吴国去伺候夫差。

fū chāi mìng rén zài fù qīn hé lǘ de fén mù páng jiàn le yī jiān xiǎo shí wū gěi
夫差命人在父亲阖闾的坟墓旁建了一间小石屋给
gōu jiàn fū fù zhù hái ràng tā men yǎng mǎ gōu jiàn fū fù zhěng tiān chú cǎo wèi mǎ
勾践夫妇住，还让他们养马。勾践夫妇整天锄草喂马，

tiāo shuǐ xǐ mǎ jiù quán shēn shàng xià zāng xī xī de fū chāi měi cì zuò chē wài chū
挑水洗马厩，全身上下脏兮兮的。夫差每次坐车外出，
gōu jiàn zǒng shì dī zhe tóu gōng gōng jìng jìng de wèi tā qiān mǎ jiàn jiàn de fū chāi
勾践总是低着头，恭恭敬敬地为他牵马。渐渐地，夫差
fàng sōng le duì gōu jiàn de jǐng tì shèn zhì shēng chū le tóng qíng zhī xīn
放松了对勾践的警惕，甚至生出了同情之心。

yī huǎng sān nián guò qù le yǒu yī tiān fū chāi shēng bìng gōu jiàn qǐng qiú tàn
一晃三年过去了。有一天，夫差生病，勾践请求探
shì wèi le zhěn duàn bìng qíng tā jìng rán yòng shǒu zhǐ zhàn zhe fū chāi de fèn biàn fàng dào
视，为了诊断病情，他竟然用手指蘸着夫差的粪便放到
zuǐ li pǐn cháng kàn dào zhè yī mù fū chāi gǎn dòng de bù dé liǎo
嘴里品尝。看到这一幕，夫差感动得不得了。

hòu lái fū chāi de bìng bèi gōu jiàn zhì hǎo le tā jué de gōu jiàn yǐ jīng
后来，夫差的病被勾践治好了。他觉得勾践已经
zhēn xīn guī shùn le zì jǐ suǒ yǐ hěn fàng xīn de fàng gōu jiàn huí yuè guó qù le
真心归顺了自己，所以很放心地放勾践回越国去了。

shí jì shàng gōu jiàn bìng méi yǒu qū fú yī huí dào yuè guó tā jiù xià dìng
实际上，勾践并没有屈服。一回到越国，他就下定
jué xīn yī dìng yào miè diào wú guó bào chóu xuě hèn
决心，一定要灭掉吴国，报仇雪恨。

wèi le bù ràng zì jǐ wàng diào zài wú guó zāo shòu de chǐ rǔ gōu jiàn měi tiān
为了不让自己忘掉在吴国遭受的耻辱，勾践每天
dōu shuì zài chái cǎo duī shang tā hái zài chuáng tóu guà le yī gè qí kǔ wú bǐ de
都睡在柴草堆上。他还在床头挂了一个奇苦无比的
dǎn měi tiān xǐng lái dì yī jiàn shì jiù shì cháng cháng kǔ dǎn de zī wèi bìng zé wèn zì
胆，每天醒来第一件事就是尝尝苦胆的滋味，并责问自
jǐ nán dào nǐ wàng le zài wú guó suǒ shòu de chǐ rǔ ma
己："难道你忘了在吴国所受的耻辱吗？"

gōu jiàn zhī dào yào bào chóu děi xiān ràng guó jiā qiáng shèng qǐ lái suǒ yǐ tā
勾践知道，要报仇，得先让国家强盛起来，所以他

cháng cháng pǎo dào tián jiān hé bǎi xìng yī qǐ gēng tián zhòng dì cǐ wài tā hái ràng
常常跑到田间，和百姓一起耕田种地。此外，他还让
fū rén hé fù nǚ men yī qǐ yǎng cán zhī bù zuò yī fu
夫人和妇女们一起养蚕织布做衣服。

kàn dào gōu jiàn fū fù qīn zì láo dòng lǎo bǎi xìng dōu shòu dào le gǔ wǔ yú
看到勾践夫妇亲自劳动，老百姓都受到了鼓舞。于
shì quán guó shàng xià qí xīn xié lì fèn fā tú qiáng
是，全国上下齐心协力，奋发图强。

jīng guò shí nián de xiū yǎng shēng xī yuè guó de guó lì zhú jiàn huī
经过十年的休养生息，越国的国力逐渐恢
fù le ér wú wáng fū chāi duì cǐ hún rán bù jué hòu lái gōu jiàn
复了。而吴王夫差对此浑然不觉。后来，勾践
zuò hǎo chōng fèn zhǔn bèi shuài lǐng jūn duì jìn gōng wú guó jiāng wú
做好充分准备，率领军队进攻吴国，将吴
jūn dǎ de yī bài tú dì
军打得一败涂地。

fū chāi bèi bī de zǒu tóu wú lù hòu
夫差被逼得走投无路，后
huǐ méi yǒu tīng dà chén wǔ zǐ xū de zhōng gào
悔没有听大臣伍子胥的忠告，
xiū kuì de bá jiàn zì shā le
羞愧地拔剑自杀了。

# 三家分晋

SAN JIA FEN JIN

晋国是春秋时期的一个大国，晋文公在位的时候，晋国的国力达到鼎盛，成为霸主。后来，晋国越来越弱。到了春秋末期，晋国国君成了傀儡，国家大权被赵襄子、韩康子、魏桓子和智伯这四个大臣把持着。其中，智伯的势力最大。

智伯贪得无厌，一心想独占整个晋国。为了削弱其他三个大臣的势力，他以晋国国君的名义，要求韩、赵、魏三家分别割让一百里土地给他。

韩康子和魏桓子不敢与智伯对抗，只得乖乖照做。而赵襄子不肯割地，他认为如果这次妥协，就会有下一次。智伯知道后勃然大怒，立刻让韩康子、魏桓子与他

一起率兵攻打赵襄子，并约定消灭赵襄子后，三家平分赵氏的土地。

赵襄子见三家联合来攻，只好带兵退到晋阳。晋阳的城墙十分坚固，粮草储备也很充足。一年多过去了，智伯等三家仍未攻下晋阳。

智伯见城池久攻不下，便想出了水淹晋阳城的毒计。他让人挖一条河道通向晋阳城，并在上游筑坝蓄

shuǐ yǔ jì dào lái shí shàng yóu hé shuǐ bào
水。雨季到来时，上游河水暴

zhǎng zhè shí zhì bó xià lìng zài shuǐ bà shang dǎ kāi kǒu zi fàng shuǐ
涨。这时，智伯下令在水坝上打开口子放水，

dà shuǐ xiōng yǒng péng pài de chōng xiàng jìn yáng chéng chéng zhōng xǔ duō fáng zi bèi yān bǎi
大水汹涌澎湃地冲向晋阳城。城中许多房子被淹，百

xìng men fēn fēn pǎo dào gāo chù qù bì nàn
姓们纷纷跑到高处去避难。

yǎn kàn jìn yáng chéng jiù yào bǎo bu zhù le zhào xiāng zǐ xīn jí rú fén tā
眼看晋阳城就要保不住了，赵襄子心急如焚。他

yī miàn jiào rén dǎ zào chuán fá zhǔn bèi shuǐ shang zuò zhàn yī miàn pài tā de móu chén
一面叫人打造船筏，准备水上作战，一面派他的谋臣

zhāng mèng tán dào hán jūn dà yíng qù shuō fú hán kāng zǐ
张孟谈到韩军大营去说服韩康子。

zhāng mèng tán duì hán kāng zǐ shuō zhì bó yě xīn hěn dà tā xiāo miè zhào jiā
张孟谈对韩康子说：“智伯野心很大，他消灭赵家

zhī hòu yī dìng huì jiē zhe miè diào nǐ men liǎng jiā de bù rú wǒ men sān jiā lián
之后，一定会接着灭掉你们两家的。不如，我们三家联

hé qǐ lái gōng dǎ zhì bó rán hòu sān jiā píng fēn zhì bó de tǔ dì hán kāng zǐ
合起来攻打智伯，然后三家平分智伯的土地。”韩康子
tīng le xīn lǐ yǒu xiē yóu yù
听了，心里有些犹豫。

dì èr tiān zhì bó yāo hán wèi liǎng jiā yī qǐ qù chá kàn shuǐ qíng jiàn dào
第二天，智伯邀韩、魏两家一起去察看水情。见到
jìn yáng chéng bèi shuǐ yān de yī piàn láng jí zhì bó shí fēn dé yì gāo xìng de
晋阳城被水淹得一片狼藉，智伯十分得意，高兴地
shuō yuán lái dà shuǐ zhè me lì hai a
说：“原来大水这么厉害啊！”

jiē zhe tā yòu duì hán kāng zǐ hé wèi huán zǐ shuō kǒng pà fén shuǐ hé jiàng
接着，他又对韩康子和魏桓子说：“恐怕汾水和绛
shuǐ yě bǎo bù liǎo nǐ men de ān yì hé píng yáng ba
水也保不了你们的安邑和平阳吧？”

ān yì hé píng yáng fēn bié shì wèi hán liǎng jiā fēng dì de chéng chí zhì bó
安邑和平阳分别是魏、韩两家封地的城池。智伯
de zhè jù huà wú xíng zhōng bào lù le tā de yě xīn hán kāng zǐ hé wèi huán zǐ cóng
的这句话无形中暴露了他的野心。韩康子和魏桓子从
zhōng dé dào le jǐng shì rú guǒ zhào shì miè wáng shuō bu dìng zhì bó huì yòng tóng yàng de
中得到了警示：如果赵氏灭亡，说不定智伯会用同样的
fāng fǎ xiāo miè zì jǐ
方法消灭自己。

yú shì hán kāng zǐ hé wèi huán zǐ xià dìng jué xīn tā men yǔ zhào xiāng zǐ jié
于是，韩康子和魏桓子下定决心，他们与赵襄子结
chéng tóng méng yī qǐ duì fu zhì bó
成同盟，一起对付智伯。

dì èr tiān yè lǐ hán zhào wèi sān jiā yī qǐ chū bīng gōng dǎ zhì bó tā men
第二天夜里，韩赵魏三家一起出兵攻打智伯。他们
fàng dà shuǐ chōng kuǎ le zhì bó de jūn yíng rán hòu jià zhe chuán chōng shā guò qù zhì
放大水冲垮了智伯的军营，然后驾着船冲杀过去。智

bó de shì bīng méi yǒu fáng bèi bèi shā de yān sǐ de bù jì qí shù zhì bó
伯的士兵没有防备，被杀的、淹死的，不计其数。智伯
běn rén yě bèi zhuā zhù shā diào le
本人也被抓住杀掉了。

zhì shì miè wáng hòu hán zhào wèi sān jiā guā fēn le zhì shì de tǔ dì yòu guò
智氏灭亡后，韩赵魏三家瓜分了智氏的土地。又过
le jǐ nián sān jiā pài shǐ zhě qù jiàn zhōu tiān zǐ yāo qiú dú lì fēng hóu dāng shí
了几年，三家派使者去见周天子，要求独立封侯。当时
de zhōu tiān zǐ zhǐ shì yī gè bǎi she bù dé bù tóng yì tā men de yāo qiú suí
的周天子只是一个摆设，不得不同意他们的要求。随
hòu hán zhào wèi sān jiā fēn bié dìng dū jiàn guó zhì cǐ jìn guó chè dǐ miè wáng
后，韩赵魏三家分别定都建国。至此，晋国彻底灭亡。

sān jiā fēn jìn shì zhōng guó lì shǐ shang de yī gè zhòng yào shì jiàn tā biāo zhì
三家分晋是中国历史上的一个重要事件，它标志
zhū hóu hù xiāng sī shā jiān bìng de zhàn guó shí qī kāi shǐ le
诸侯互相厮杀兼并的战国时期开始了。

# 商鞅变法

SHANG YANG BIAN FA

战国时期，齐、楚、燕、赵、韩、魏、秦这七个诸侯国的国力较为强大，被称为“战国七雄”。

秦国虽是“七雄”之一，但与其他六国相比，还存在一定的差距。为了改变落后局面，秦孝公在即位之初，发布了一道求贤令：“无论是秦国人还是其他国家的人，谁有办法使秦国富强起来，谁就能得到重用。”

卫国有一个叫卫鞅的人，听说秦孝公正在求贤纳才，便前来投奔。他向秦孝公提出了一系列变法主张，秦孝公非常赞同，于是重用卫鞅，让他主持变法。

卫鞅很快就起草了一系列改革法令。但他担心老百姓不信服自己，不按新法令去做。为了解决这个问题，

wèi yāng pài rén zài dū chéng de nán mén shù le yī gēn mù tou rán hòu tiē chū gào shi
卫鞅派人在都城的南门竖了一根木头，然后贴出告示：
shéi néng bǎ zhè gēn mù tou káng dào běi mén qù biàn shǎng tā shí liǎng jīn zi
“谁能把这根木头扛到北门去，便赏他十两金子。”

xiāo xi yī chū bǎi xìng men fēn fēn pǎo dào nán mén lái kàn rè nao dà jiā duì
消息一出，百姓们纷纷跑到南门来看热闹。大家对
zhè dào mìng lìng yì lùn fēn fēn yǒu de shuō bǎ zhè mù tou káng dào běi mén tài róng
这道命令议论纷纷，有的说：“把这木头扛到北门，太容
yì le nǎ zhí shí liǎng jīn zi yě yǒu de shuō kě néng shì zài kāi wán xiào ba
易了，哪值十两金子？”也有的说：“可能是在开玩笑吧！”
jiù zhè yàng dà jiā nǐ kàn kàn wǒ wǒ kàn kàn nǐ dōu méi yǒu shàng qián qù káng mù tou
就这样，大家你看看我，我看看你，都没有上前去扛木头。

wèi yāng jiàn méi rén shàng qián biàn bǎ shǎng jīn tí shēng dào wǔ shí liǎng zhè xià
卫鞅见没人上前，便把赏金提升到五十两。这下，
zhōng yú yǒu yī gè rén cóng rén qún li zǒu le chū lái tā shuō wǒ lái shì shì
终于有一个人从人群里走了出来。他说：“我来试试。”

shuō wán tā bǎ mù tou tuō dào jiān bǎng shang yī kǒu qì káng dào le běi mén
说完，他把木头托到肩膀上，一口气扛到了北门。

dà jiā dōu xiǎng zhī dào jié guǒ zěn yàng biàn fēn fēn gēn zài hòu miàn děng nà rén
大家都想知道结果怎样，便纷纷跟在后面。等那人
yī fàng xià mù tou wèi yāng lì kè jiào rén ná wǔ shí liǎng jīn zi gěi tā dà jiā yī
一放下木头，卫鞅立刻叫人拿五十两金子给他。大家一
kàn dōu shǎ yǎn le fēn fēn tàn qì hòu huǐ méi yǒu xiāng xìn wèi yāng de huà
看都傻眼了，纷纷叹气，后悔没有相信卫鞅的话。

zhè shí hou wèi yāng zhàn le chū lái duì dà jiā shuō wǒ wèi yāng shuō huà suàn
这时候，卫鞅站了出来，对大家说："我卫鞅说话算
huà xīn bān bù de fǎ lìng yě shì yī yàng jué bù huì zhāo lìng xī gǎi xì nòng dà jiā
话，新颁布的法令也是一样，绝不会朝令夕改，戏弄大家。"

hěn kuài zhè jiàn shi zài qín guó chuán kāi le lǎo bǎi xìng dōu shuō wèi yāng
很快，这件事在秦国传开了。老百姓都说："卫鞅
shuō dào zuò dào zhí dé xìn rèn
说到做到，值得信任。"

经过这件事后，卫鞅在全国树立了威信。没过多久，他便把新法令对外公布了。

新法令有很多条款，它们对改善百姓的生活、发展国家的经济很有帮助。其中一条是这么说的：官职的大小和爵位的高低以打仗立功为标准，贵族也一样。这就意味着，地位低下的士兵可以通过努力成为高官；而王公贵族如果没有功劳，就要被夺去特权。

新法令推行后，秦国农业生产增加了，军事力量强大了。短短十几年时间，秦国一跃成为七国中最富强的国家之一。为了表彰卫鞅的功劳，秦孝公封卫鞅为侯，还把商地十五座城赐给他，并称他为商君。于是，卫鞅就叫商鞅了。

不过，商鞅的变法严重触犯了旧贵族的利益，很多贵族因为没有军功而失去了特权，对商鞅恨之入骨。秦孝公去世后，商鞅遭到了贵族的报复，最后悲惨地死去。

# 合纵连横

HE ZONG LIAN HENG

qín guó jīng guò shāng yāng biàn fǎ xùn sù qiáng dà qǐ lái qín huì wén gōng jí
秦国经过商鞅变法，迅速强大起来。秦惠文公即
wèi hòu wèi le tí shēng qín guó de dì wèi kāi shǐ zì chēng wéi wáng tā jiù shì qín
位后，为了提升秦国的地位，开始自称为王。他就是秦
huì wén wáng qín huì wén wáng rèn wéi qín guó chēng bà tiān xià de shí jī yǐ dào biàn
惠文王。秦惠文王认为秦国称霸天下的时机已到，便
pài shǐ zhě xiàng qí chǔ yān zhào hán wèi liù guó suǒ yào tǔ dì yǐ biǎo shì duì
派使者向齐、楚、燕、赵、韩、魏六国索要土地，以表示对
tā chēng wáng de zhù hè zì cǐ yǐ hòu liù guó bù duàn de shòu dào qín guó de sāo
他称王的祝贺。自此以后，六国不断地受到秦国的骚
rǎo hé wēi xié
扰和威胁。

wèi le bǎo wèi zì jǐ de guó jiā liù guó fēn fēn kāi shǐ xiǎng fāng shè fǎ duì fu
为了保卫自己的国家，六国纷纷开始想方设法对付
qín guó ér qín guó wèi le jì xù kuò dà zì jǐ de shì lì yě zài qiān fāng bǎi jì
秦国。而秦国为了继续扩大自己的势力，也在千方百计
de suàn jì liù guó
地算计六国。

zài zhè zhǒng qíng kuàng xià yī xiē zhēn fēng xiāng duì de móu shì chū xiàn le tā
在这种情况下，一些针锋相对的谋士出现了。他
men zhōng de yī duì dài biǎo rén wù jiù shì sū qín hé zhāng yí
们中的一对代表人物就是苏秦和张仪。

sū qín dài biǎo de shì liù guó de lì chǎng tā gēn jù
苏秦代表的是六国的立场，他根据
liù guó dì lǐ wèi zhì cóng nán dào běi zòng xiàng pái liè de tè diǎn tí chū hé zòng
六国地理位置从南到北纵向排列的特点，提出“合纵”
de zhǔ zhāng jiàn yì liù guó lián hé qǐ lái gòng tóng duì fu qín guó
的主张，建议六国联合起来共同对付秦国。

hé zòng de guān jiàn zài yú liù guó zhōng rú guǒ yǒu yī guó zāo dào qín guó
“合纵”的关键在于：六国中如果有一国遭到秦国
de jìn gōng qí tā wǔ guó yīng gāi lì jí qián wǎng zhī yuán zhè yàng yī lái qín guó
的进攻，其他五国应该立即前往支援。这样一来，秦国
jiù bù gǎn qīng jǔ wàng dòng le
就不敢轻举妄动了。

sū qín de hé zòng zhǔ zhāng dé dào le liù guó guó jūn de rèn kě bù dào
苏秦的“合纵”主张得到了六国国君的认可。不到

yī nián de shí jiān sū qín jiù chéng gōng de shuō fú liù guó dìng
一年的时间，苏秦就成功地说服六国定
xià hé zòng méng yuē gòng tóng fáng fàn qín guó
下“合纵”盟约，共同防范秦国。

liù guó de guó jūn fēng sū qín wéi zòng yuē zhǎng bǎ liù guó
六国的国君封苏秦为“纵约长”，把六国
de xiàng yìn jiāo gěi tā ràng tā zhuān mén chǔ lǐ liù guó lián hé kàng qín de shì yí
的相印交给他，让他专门处理六国联合抗秦的事宜。

qín huì wén wáng jiàn liù guó lián hé qǐ lái duì kàng qín guó fēi cháng dān yōu zhè
秦惠文王见六国联合起来对抗秦国，非常担忧。这
shí móu shì zhāng yí xiàng tā tí chū le lián héng de cè lüè
时，谋士张仪向他提出了“连横”的策略。

suǒ wèi lián héng jiù shì qín guó qù lā lǒng liù guó chéng yuán ràng zhè xiē guó
所谓“连横”，就是秦国去拉拢六国成员，让这些国
jiā hé qín guó yī qǐ qù gōng jī bié guó cóng zhōng huò lì
家和秦国一起去攻击别国，从中获利。

qín huì wén wáng hěn xīn shǎng zhāng yí de cái shí fēng tā wéi chéng xiàng ràng tā
秦惠文王很欣赏张仪的才识，封他为丞相，让他
qù tuī xíng lián héng cè lüè
去推行“连横”策略。

dāng shí qí tā liù guó zhī zhōng qí chǔ liǎng guó zuì qiáng ér qiě guān xì hěn
当时，其他六国之中，齐、楚两国最强，而且关系很
hǎo zhāng yí rèn wéi yào shí xiàn lián héng jiù yào xiān pò huài qí chǔ liǎng guó de
好。张仪认为要实现“连横”，就要先破坏齐、楚两国的
guān xì jīng guò yī fān kǎo lǜ tā jué dìng xiān cóng chǔ guó xià shǒu
关系。经过一番考虑，他决定先从楚国下手。

zhāng yí lái dào chǔ guó xiān shi yòng jīn yín cái bǎo huì lù le chǔ huái wáng de
张仪来到楚国，先是用金银财宝贿赂了楚怀王的
chǒng chén jìn shàng ràng tā bāng máng shuō hǎo huà rán hòu tā yòu pǎo qù duì chǔ huái
宠臣靳尚，让他帮忙说好话。然后，他又跑去对楚怀
wáng shuō qín guó yuàn yì gēn guì guó yǒng yuǎn jiāo hǎo zhǐ yào dà wáng gēn qí guó duàn
王说：“秦国愿意跟贵国永远交好。只要大王跟齐国断

jiāo qín wáng yuàn yì xiàn gěi guì guó liù bǎi lǐ tǔ dì
交，秦王愿意献给贵国六百里土地。”

chǔ huái wáng shì gè hú tu rén zài zhāng yí hé jìn shàng de lián fān yóu shuì xià
楚怀王是个糊涂人，在张仪和靳尚的连番游说下，
hěn kuài jiù tóng yì le jiē zhe tā yī miàn gēn qí guó jué jiāo yī miàn pài rén qù
很快就同意了。接着，他一面跟齐国绝交，一面派人去
qín guó jiē shōu tǔ dì
秦国接收土地。

kě shì dāng chǔ guó de shǐ zhě dào dá qín guó hòu zhāng yí què fān liǎn bù rèn
可是，当楚国的使者到达秦国后，张仪却翻脸不认
zhàng bù chéng rèn yǒu fèng xiàn tǔ dì yī shì chǔ guó shǐ zhě méi yǒu bàn fǎ zhǐ néng
账，不承认有奉献土地一事。楚国使者没有办法，只能
kōng shǒu ér huí zhè xià kě bǎ chǔ huái wáng jī nù le tā lì jí pài chū dà jūn
空手而回。这下可把楚怀王激怒了，他立即派出大军
gōng dǎ qín guó
攻打秦国。

qín huì wén wáng fā bīng yíng zhàn bìng yāo le qí guó zhù zhàn jié guǒ chǔ guó
秦惠文王发兵迎战，并邀了齐国助战。结果，楚国
dà bài bù dàn méi dé dào qín guó de liù bǎi lǐ tǔ dì hái bǎ zì jǐ de liù bǎi
大败，不但没得到秦国的六百里土地，还把自己的六百
lǐ tǔ dì diū diào le zì cǐ chǔ guó yuán qì dà shāng
里土地丢掉了。自此，楚国元气大伤。

hòu lái zhāng yí yòu lì yòng gè guó zhī jiān de máo dùn xiān hòu dào qí guó
后来，张仪又利用各国之间的矛盾，先后到齐国、
zhào guó yān guó shuō fú tā men tóu kào qín guó jiù zhè yàng liù guó hé zòng
赵国、燕国，说服他们投靠秦国。就这样，六国“合纵”
lián méng bèi yī bù bù wǎ jiě le
联盟被一步步瓦解了。

# 屈原投江

QU YUAN TOU JIANG

chǔ guó zì cóng zhòng le qín guó de guǐ jì yǔ qí guó duàn jiāo hòu biàn jīng cháng
楚国自从中了秦国的诡计，与齐国断交后，便经常
zāo dào qín qí liǎng gè dà guó de lún fān gōng jī lián nián de hùn zhàn jiāng chǔ guó
遭到秦、齐两个大国的轮番攻击。连年的混战，将楚国
de bǎi xìng zhé mó de kǔ bù kān yán duì cǐ chǔ guó dà chén qū yuán fēi cháng tòng xīn
的百姓折磨得苦不堪言。对此，楚国大臣屈原非常痛心。

qū yuán chū shēn yú chǔ guó guì zú jiā tíng cóng xiǎo huái yǒu dà zhì shì yī gè
屈原出身于楚国贵族家庭，从小怀有大志，是一个
pǐn xíng gāo shàng de rén tā cháng cháng guī quàn chǔ huái wáng rèn yòng xián chén ài hù bǎi
品行高尚的人。他常常规劝楚怀王任用贤臣，爱护百
xìng yīn ér shēn dé chǔ huái wáng de zhòng yòng hé bǎi xìng de ài dài
姓，因而深得楚怀王的重用和百姓的爱戴。

kě shì yǐ gōng zǐ zǐ lán wéi shǒu de yī xiē chǔ guó guì zú jí dù qū yuán
可是，以公子子兰为首的一些楚国贵族，嫉妒屈原
de cái néng jīng cháng zài chǔ huái wáng miàn qián shuō qū yuán de huài huà tiǎo bō lí jiàn
的才能，经常在楚怀王面前说屈原的坏话。挑拨离间
de huà tīng duō le chǔ huái wáng duì qū yuán chǎn shēng le bù mǎn jiàn jiàn shū yuǎn tā
的话听多了，楚怀王对屈原产生了不满，渐渐疏远他。

yǒu yī tiān qín wáng pài chū shǐ zhě lái dào chǔ guó xiǎng qǐng chǔ huái wáng dào qín
有一天，秦王派出使者来到楚国，想请楚怀王到秦
guó qù shāng tǎo qín chǔ liǎng guó yǒng shì jiāo hǎo de dà shì
国去，商讨秦楚两国永世交好的大事。

qū yuán dé zhī hòu lì kè quàn jiàn chǔ huái wáng tā
屈原得知后，立刻劝谏楚怀王。他
shuō dà wáng zhè hěn kě néng shì yī gè xiàn jǐng qín rén
说：“大王，这很可能是一个陷阱。秦人
jiù xiàng chái láng è hǔ nǐ qù qín guó jiù děng yú sòng yáng rù hǔ kǒu a
就像豺狼饿虎，你去秦国就等于送羊入虎口啊！”

gōng zǐ zǐ lán děng rén què duì chǔ huái wáng shuō wǒ men dòu bù guò qín guó
公子子兰等人却对楚怀王说：“我们斗不过秦国，
xiàn zài qín wáng yuàn yì hé wǒ men jiāo hǎo zhè kě shì nán dé de hǎo jī huì dà wáng
现在秦王愿意和我们交好，这可是难得的好机会，大王
yīng gāi zǒu yī tàng zuì hòu chǔ huái wáng tīng xìn le gōng zǐ zǐ lán de huà dào qín
应该走一趟！”最后，楚怀王听信了公子子兰的话，到秦
guó qù le jié guǒ chǔ huái wáng yī dào qín guó jiù bèi qín guó kòu liú le
国去了。结果，楚怀王一到秦国，就被秦国扣留了。

guó bù kě yī rì wú jūn chǔ guó de dà chén méi yǒu bàn fǎ zhǐ hǎo yōng lì
国不可一日无君，楚国的大臣没有办法，只好拥立
tài zǐ xióng héng wéi wáng xióng héng jiù shì chǔ qǐng xiāng wáng qǐng xiāng wáng hé chǔ huái wáng
太子熊横为王，熊横就是楚顷襄王。顷襄王和楚怀王
yī yàng zhòng yòng gōng zǐ zǐ lán zhè xiē xiǎo rén duì qū yuán de tài dù hěn lěng dàn
一样，重用公子子兰这些小人，对屈原的态度很冷淡。

sān nián hòu chǔ huái wáng zài qín guó bìng sǐ tā de líng jiù bèi sòng huí chǔ guó
三年后，楚怀王在秦国病死，他的灵柩被送回楚国。
chǔ guó de bǎi xìng shī shēng tòng kū bǎ zhè kàn zuò shì guó chǐ qū yuán jì shāng xīn
楚国的百姓失声痛哭，把这看作是国耻。屈原既伤心
yòu qì fèn zài chǔ huái wáng de líng jiù qián kū hūn le guò qù tā qǐng qiú qǐng xiāng
又气愤，在楚怀王的灵柩前哭昏了过去。他请求顷襄
wáng chèn zhe hái yǒu jī huì gǎn jǐn xiǎng bàn fǎ lián luò gè guó yī qǐ duì fu qín guó
王趁着还有机会，赶紧想办法联络各国一起对付秦国。
dàn qǐng xiāng wáng bù jǐn bù tīng qū yuán de quàn gào hái bà miǎn le tā de guān zhí jiāng
但顷襄王不仅不听屈原的劝告，还罢免了他的官职，将
tā liú fàng dào lí guó dū hěn yuǎn de dì fang
他流放到离国都很远的地方。

hòu lái qū yuán lái dào mì luó jiāng yī dài zhù xià suī rán zāo dào liú fàng
后来，屈原来到汨罗江一带住下。虽然遭到流放，
dàn tā réng rán shí kè guān xīn zhe chǔ guó de mìng yùn kě shì yī nián yī nián guò qù
但他仍然时刻关心着楚国的命运。可是，一年一年过去
le chǔ guó yuè lái yuè shuāi luò qū yuán de xī wàng yě yuè lái yuè miǎo máng
了，楚国越来越衰落，屈原的希望也越来越渺茫。

yī tiān yǒu gè yú fū rèn chū le qū yuán jīng yà de wèn dà ren nín
一天，有个渔夫认出了屈原，惊讶地问：“大人，您
zěn me dào zhèr lái le
怎么到这儿来了？”

qū yuán tàn xī zhe shuō zhěng gè shì jiè dōu shì hùn zhuó de zhǐ yǒu wǒ yī
屈原叹息着说：“整个世界都是混浊的，只有我一

人清白；众人都沉醉了，只有我一人清醒。所以，我就被流放到这里来了。”

渔夫说：“既然世界都是混浊的，你为什么不随波逐流？既然大家都沉醉了，你为什么要独自清醒呢？”

屈原说：“刚洗过头的人一定要把帽子拍干净才戴上，刚洗过澡的人一定要把衣服抖干净才穿上。谁会让干净的身体沾上肮脏的东西呢？我宁可投身到大江

zhōng zàng shēn yú yú fù yě bù néng shǐ zì
中，葬身于鱼腹，也不能使自
jǐ qīng bái de rén gé bèi diàn wū
己清白的人格被玷污！”

shí jǐ nián hòu qín jūn zhàn lǐng chǔ guó guó dū chǔ guó yǎn kàn jiù yào miè wáng
十几年后，秦军占领楚国国都，楚国眼看就要灭亡
le qū yuán dé dào xiāo xi rěn bù zhù shāng xīn tòng kū tā bù yuàn kàn dào zǔ guó
了。屈原得到消息，忍不住伤心痛哭。他不愿看到祖国
miè wáng bù yuàn kàn dào guó tǔ bǎi xìng luò zài qín guó shǒu li yú shì zài wǔ
灭亡，不愿看到国土、百姓落在秦国手里。于是，在五
yuè chū wǔ nà tiān qū yuán bào zhe yī kuài dà shí tou tiào jìn le mì luó jiāng
月初五那天，屈原抱着一块大石头跳进了汨罗江。

fù jìn de bǎi xìng kàn jiàn le fēn fēn jià zhe xiǎo chuán qián lái yíng jiù kě
附近的百姓看见了，纷纷驾着小船前来营救。可
shì jiāng shuǐ tāo tāo nǎ lǐ zhǎo de dào qū yuán a rén men zhǐ hǎo ná xiē fàn tuán
是，江水滔滔，哪里找得到屈原啊？人们只好拿些饭团
diū jìn jiāng li xiǎng ràng yú lóng xiā xiè chī bǎo bù qù yǎo qū yuán de shēn tǐ
丢进江里，想让鱼龙虾蟹吃饱，不去咬屈原的身体。

hòu lái měi nián de nóng lì wǔ yuè chū wǔ rén men dōu yào huá lóng zhōu chī
后来，每年的农历五月初五，人们都要划龙舟、吃
zòng zi yǐ cǐ lái jì niàn qū yuán
粽子，以此来纪念屈原。

# 蔺相如与廉颇

LIN XIANG RU YU LIAN PO

公元前283年，赵惠文王得到了一块名贵的宝玉——和氏壁。秦昭襄王知道了，便派使者去见赵惠文王，表示愿意用十五座城池来换取和氏壁。

赵惠文王跟大臣们商议，大家都认为，如果把和氏壁给秦国，很有可能受骗，得不到城池；但若不答应秦国的要求，恐怕秦国会找借口出兵攻打赵国。一时间，大家都拿不定主意。

谋士蔺相如说：“我愿意带着和氏壁出使秦国，若秦国不交出十五座城池，我定会把和氏壁完好地带回来。”

于是，蔺相如带着和氏壁到了秦国，把和氏壁献给了秦昭襄王。秦昭襄王接过玉壁，看了又看，十分高兴。

lìn xiàng rú jiàn qín zhāo xiāng wáng bù tí chéng chí de shì qing biàn zhī dào qín zhāo xiāng
蔺相如见秦昭襄王不提城池的事情，便知道秦昭襄
wáng wú xīn ná chéng huàn bì tā shuō dà wáng zhè yù bì yǒu diǎn xiǎo quē xiàn qǐng
王无心拿城换璧。他说：“大王，这玉璧有点小缺陷，请
ràng wǒ zhǐ gěi dà wáng kàn qín zhāo xiāng wáng jiù bǎ hé shì bì dì gěi le lìn xiàng rú
让我指给大王看。”秦昭襄王就把和氏璧递给了蔺相如。

lìn xiàng rú yī ná dào yù bì biàn wǎng hòu tuì dào cháo táng de dà zhù zi páng
蔺相如一拿到玉璧，便往后退到朝堂的大柱子旁，
shuō kàn lái dà wáng shì méi yǒu chéng yì ná chū chéng chí lái jiāo huàn hé shì bì le
说：“看来，大王是没有诚意拿出城池来交换和氏璧了。
xiàn zài bì zài wǒ shǒu zhōng rú guǒ dà wáng yìng yào bī pò wǒ wǒ nìng yuàn bǎ wǒ de
现在璧在我手中，如果大王硬要逼迫我，我宁愿把我的
nǎo dai hé yù bì yī tóng zhuàng suì zài zhè gēn zhù zi shang shuō zhe lìn xiàng rú ná
脑袋和玉璧一同撞碎在这根柱子上！”说着，蔺相如拿
qǐ hé shì bì jiù yào wǎng zhù zi shang zhuàng
起和氏璧就要往柱子上撞。

qín zhāo xiāng wáng pà yù bì bèi zhuàng huài lián máng zhǐ zhe dì tú shuō zhè lǐ
秦昭襄王怕玉璧被撞坏，连忙指着地图说：“这里
yī gòng shí wǔ zuò chéng quán gěi zhào guó
一共十五座城，全给赵国。”

lìn xiàng rú xīn zhī bù néng qīng xìn biàn shuō yào qín zhāo xiāng wáng zhāi jiè wǔ tiān
蔺相如心知不能轻信，便说要秦昭襄王斋戒五天，
jǔ xíng jiē shòu yù bì de yí shì cái néng bǎ yù bì fèng shàng qín zhāo xiāng wáng jiàn
举行接受玉璧的仪式，才能把玉璧奉上。秦昭襄王见
bù néng qiáng duó zhǐ hǎo dā ying wǔ tiān hòu jǔ xíng yí shì
不能强夺，只好答应五天后举行仪式。

lìn xiàng rú huí dào zhù chù jué de qín zhāo xiāng wáng bì dìng bù huì zūn shǒu nuò
蔺相如回到住处，觉得秦昭襄王必定不会遵守诺
yán lì kè ràng suí cóng dài zhe hé shì bì tōu tōu de cóng xiǎo dào huí zhào guó qù le
言，立刻让随从带着和氏璧偷偷地从小道回赵国去了。

wǔ tiān hòu qín zhāo xiāng wáng jǔ xíng shòu bì yí shì dé zhī yù bì yǐ bèi sòng
五天后，秦昭襄王举行受璧仪式，得知玉璧已被送

huí zhào guó fēi cháng nǎo nù lìn xiàng rú shuō qín guó qiáng zhào guó ruò wǒ pà
回赵国，非常恼怒。蔺相如说：“秦国强，赵国弱，我怕
shòu dào qī piàn qǐng dà wáng xiān gē shí wǔ zuò chéng gěi zhào guó zài ràng rén gēn wǒ
受到欺骗。请大王先割十五座城给赵国，再让人跟我
dào zhào guó qǔ hé shì bì ba qín zhāo xiāng wáng zhī dào jiù suàn shā le lìn xiàng rú
到赵国取和氏璧吧。”秦昭襄王知道就算杀了蔺相如，
yě dé bù dào hé shì bì le zhǐ hǎo bǎ tā fàng huí zhào guó
也得不到和氏璧了，只好把他放回赵国。

lìn xiàng rú wán bì guī zhào lì le dà gōng zhào wáng fēng tā wéi shàng qīng zhí
蔺相如完璧归赵，立了大功，赵王封他为上卿，职
wèi bǐ lián pō hái yào gāo lián pō shì zhào guó yǒu míng de jiàng lǐng zhàn gōng hè hè
位比廉颇还要高。廉颇是赵国有名的将领，战功赫赫。
tā bù fú qì de duì shēn biān de rén shuō wǒ lián pō shēn jīng bǎi zhàn wèi guó jiā lì
他不服气地对身边的人说：“我廉颇身经百战，为国家立
xià le hàn mǎ gōng láo tā lìn xiàng rú yǒu shén me běn lǐng jiù kào yī zhāng zuǐ fǎn
下了汗马功劳。他蔺相如有什么本领，就靠一张嘴，反
ér pá dào wǒ tóu shang qù le rú guǒ wǒ pèng jiàn tā fēi děi ràng tā xià bu lái tái
而爬到我头上去了。如果我碰见他，非得让他下不来台！”

lìn xiàng rú tīng shuō hòu jiù chù chù huí bì lián pō yǒu yī tiān lìn xiàng rú
蔺相如听说后，就处处回避廉颇。有一天，蔺相如
zuò chē chū qù yuǎn yuǎn kàn jiàn lián pō zhèng qí zhe gāo tóu dà mǎ guò lái tā gǎn jǐn
坐车出去，远远看见廉颇正骑着高头大马过来，他赶紧
jiào chē fū diào zhuǎn chē tóu wǎng huí gǎn chē fū hěn bù jiě jiù wèn wèi shén me
叫车夫掉转车头往回赶。车夫很不解，就问为什么。

lìn xiàng rú jiě shì shuō qín guó bù gǎn gōng dǎ wǒ men zhào guó shì yīn wèi
蔺相如解释说：“秦国不敢攻打我们赵国，是因为
wǔ yǒu lián pō wén yǒu lìn xiàng rú rú guǒ wǒ men liǎ nào bù hé qín guó jiù huì
武有廉颇，文有蔺相如。如果我们俩闹不和，秦国就会
chéng jī lái gōng dǎ wǒ men wǒ bì zhe lián jiāng jūn shì wèi le wǒ men zhào guó a
乘机来攻打我们。我避着廉将军，是为了我们赵国啊！”

zhè xiē huà chuán dào le lián pō de ěr duo li lián pō gǎn dào shí fēn xiū kuì
这些话传到了廉颇的耳朵里。廉颇感到十分羞愧。
yú shì tā tuō xià zhàn páo bēi shàng jīng tiáo dào lìn xiàng rú jiā li qù qǐng zuì tā
于是，他脱下战袍，背上荆条，到蔺相如家里去请罪。他
duì lìn xiàng rú shuō wǒ shì gè cū rén jiàn shi shǎo nǎ lǐ xiǎng dào nín jìng rú
对蔺相如说：“我是个粗人，见识少。哪里想到您竟如
cǐ rěn ràng wǒ yǐ wǎng shì wǒ bù duì qǐng nín yuán liàng wǒ ba
此忍让我！以往是我不对，请您原谅我吧！”

lìn xiàng rú lián máng fú qǐ lián pō jiě xià tā bèi shang de jīng tiáo shuō dà
蔺相如连忙扶起廉颇，解下他背上的荆条，说：“大
jiāng jūn bù yào zì zé jīn hòu wǒ men yī qǐ nǔ lì xié zhù dà wáng zhì lǐ hǎo
将军不要自责，今后，我们一起努力，协助大王治理好
guó jiā qín guó biàn bù gǎn lái fàn le
国家，秦国便不敢来犯了。”

cóng cǐ liǎng rén biàn chéng wéi le zhī xīn péng you
从此，两人便成为了知心朋友。

# 长平之战

CHANG PING ZHI ZHAN

战国末期，秦国经常发动战争，攻打别国。公元前260年，秦国大军开赴赵国边境长平，要与赵军展开一场生死大战。

当时，驻守长平的正是赵国老将廉颇。廉颇率兵和秦军打了几场，结果都失败了。后来，廉颇便占据有利的地形，采取以防守为主的策略，固守城中，想等秦军疲劳了再出击。之后，秦军屡次辱骂挑衅，廉颇都拒绝出战。

就这样，两军对峙了几个月，秦军一点办法都没有。无奈之下，秦军主帅只好派人去禀报秦昭襄王，说：“廉颇是个非常有经验的老将，不肯轻易交战。我军千里

tiáo tiáo qù dǎ zhàng rú guǒ cháng qī duì zhì xià qù
迢迢去打仗，如果长期对峙下去，
liáng cǎo gōng yìng shì gè dà wèn tí a zhè xià gāi rú hé shì hǎo ne
粮草供应是个大问题啊！这下该如何是好呢？”

qín zhāo xiāng wáng jiē dào jūn bào lián máng hé chéng xiàng fàn jū shāng liang duì cè
秦昭襄王接到军报，连忙和丞相范雎商量对策。
fàn jū shuō yào xiǎng gōng xià zhào guó jiù bì xū xiān bǎ lián pō huàn zǒu wèi cǐ
范雎说：“要想攻下赵国，就必须先把廉颇换走。”为此，
fàn jū tí chū le yī gè jì móu
范雎提出了一个计谋。

tā pài rén dài zhe jīn yín cái bǎo dào zhào guó shōu mǎi zhào wáng shēn biān de dà chén
他派人带着金银财宝到赵国收买赵王身边的大臣，
ràng tā men zài zhào wáng miàn qián shuō lián pō de huài huà bìng sì chù sàn bù yáo yán
让他们在赵王面前说廉颇的坏话，并四处散布谣言。

nà xiē dà chén shuō lián pō lǎo le bù zhōng yòng le dōu bù gǎn chū chéng
那些大臣说：“廉颇老了，不中用了，都不敢出城
yíng dí kàn lái zhào guó yào tóu xiáng le zhào jiàng zhōng hái shi zhào kuò lì hai rú guǒ
迎敌，看来赵国要投降了！赵将中还是赵括厉害，如果

ràng tā lái dāng jiāng jūn qín guó kěn dìng huì shū
让他来当将军，秦国肯定会输。”

tā men suǒ shuō de zhào kuò shì zhào guó míng jiàng zhào shē de ér zi zhào kuò zì
他们所说的赵括，是赵国名将赵奢的儿子。赵括自
xiǎo gēn zhe fù qīn xué xí bīng fǎ tán qǐ jūn shì lái zǒng shì tāo tāo bù jué zì
小跟着父亲学习兵法，谈起军事来，总是滔滔不绝，自
yǐ wéi tiān xià méi rén bǐ de shàng tā dàn tā cóng lái méi yǒu dài guo bīng dǎ guo zhàng
以为天下没人比得上他。但他从来没有带过兵、打过仗。

zhào wáng běn lái jiù rèn wéi lián pō bù chū zhàn shì dǎn xiǎo de biǎo xiàn xiàn zài
赵王本来就认为廉颇不出战是胆小的表现，现在
yòu tīng dào rén men de yì lùn biàn chè diào lián pō de zhí wèi fēng zhào kuò wéi zhǔ shuài
又听到人们的议论，便撤掉廉颇的职位，封赵括为主帅，
ràng tā qù tì huàn lián pō
让他去替换廉颇。

zài zhào kuò dòng shēn qián zhào kuò de mǔ qīn jiù shàng shū gěi zhào wáng shuō zì jǐ
在赵括动身前，赵括的母亲就上书给赵王，说自己
de ér zi mù zhōng wú rén píng rì li zhǐ huì tán tán bīng fǎ méi yǒu lǐng bīng zuò zhàn
的儿子目中无人，平日里只会谈谈兵法，没有领兵作战
de běn lǐng bù yào pài tā chū zhàn kě zhào wáng jiù shì bù tīng jiān chí ràng zhào kuò
的本领，不要派他出战。可赵王就是不听，坚持让赵括
qù qián xiàn zuò dà jiāng jūn
去前线做大将军。

zhào kuò lái dào cháng píng tì huàn lián pō zhī hòu lì kè xià lìng gǎi biàn jūn zhōng
赵括来到长平，替换廉颇之后，立刻下令改变军中
zhì dù bǎ yuán lái de jūn lì dōu chè huàn diào nòng de shàng xià jūn xīn bù wěn gèng
制度，把原来的军吏都撤换掉，弄得上下军心不稳。更
zhòng yào de shì tā hái gǎi biàn le lián pō de duì dí cè lüè
重要的是，他还改变了廉颇的对敌策略。

tā duì zhào guó jiàng shì shuō rú guǒ qín jūn zài lái tiǎo zhàn wǒ men bì xū
他对赵国将士说：“如果秦军再来挑战，我们必须

yíng tóu tòng jī tā men rú guǒ qín jūn zhàn bài táo pǎo wǒ men yīng gāi chéng shèng zhuī
迎头痛击他们；如果秦军战败逃跑，我们应该乘胜追
jī jiāng tā men shā de piàn jiǎ bù liú
击，将他们杀得片甲不留！”

qín zhāo xiāng wáng dé zhī jì móu chéng gōng hòu fēi cháng gāo xìng lì kè tiáo zhěng
秦昭襄王得知计谋成功后，非常高兴，立刻调整
jūn shì bù shǔ fēng yīng yǒng shàn zhàn de bái qǐ wéi dà jiāng jūn ràng tā dài bīng qián qù
军事部署，封英勇善战的白起为大将军，让他带兵前去
duì fu zhào kuò
对付赵括。

bái qǐ dào le cháng píng zhī hòu àn zhào shì xiān xiǎng hǎo de zuò zhàn cè lüè jiǎ
白起到了长平之后，按照事先想好的作战策略，假
zhuāng dǎ le jǐ cháng bài zhàng bù duàn wǎng hòu chè tuì zhào kuò jiāo ào zì dà dài
装打了几场败仗，不断往后撤退。赵括骄傲自大，带
bīng jǐn zhuī bù fàng jiù zhè yàng zhào jūn zuān jìn le bái qǐ yù xiān zhǔn bèi hǎo de mái
兵紧追不放。就这样，赵军钻进了白起预先准备好的埋

fú quān bèi qín jūn chóng chóng bāo wéi qǐ lái
伏圈，被秦军重重包围起来。

zhào jūn bèi bāo wéi sì shí duō tiān hòu jì méi yǒu liáng shi yòu méi yǒu yuán bīng
赵军被包围四十多天后，既没有粮食，又没有援兵，
dòu zhì quán wú zhào kuò xiǎng dài bīng chōng chū chóng wéi què bèi luàn jiàn shè sǐ le bái
斗志全无。赵括想带兵冲出重围，却被乱箭射死了。白
qǐ ràng rén dài zhe zhào kuò de nǎo dai lái dào zhèn qián sì shí wàn zhào jūn kàn dào zhǔ shuài
起让人带着赵括的脑袋来到阵前，四十万赵军看到主帅
zhàn sǐ biàn xiàng qín jūn tóu xiáng jié guǒ bái qǐ mìng lìng qín jūn jiāng zhào guó sì shí
战死，便向秦军投降。结果，白起命令秦军将赵国四十
wàn xiáng bīng quán bù huó mái
万降兵全部活埋。

cháng píng zhī zhàn hòu zhào guó jī hū suǒ yǒu de bīng lì dōu bèi xiāo miè le zài
长平之战后，赵国几乎所有的兵力都被消灭了，再
nán yǔ qín guó wéi dí
难与秦国为敌。

# 荆轲刺秦王

JING KE CI QIN WANG

gōng yuán qián nián qín wáng yíng zhèng jí wèi yíng zhèng hěn yǒu xióng xīn yī
公元前247年，秦王嬴政即位。嬴政很有雄心，一
xīn xiǎng yào tǒng yī tiān xià tā xiān shi gōng miè le hán zhào jiē zhe yòu xiàng yān guó
心想要统一天下。他先是攻灭了韩、赵，接着又向燕国
jìn jūn wèi le bǎo zhù guó jiā yān guó tài zǐ dān jué dìng pài rén qù cì shā yíng zhèng
进军。为了保住国家，燕国太子丹决定派人去刺杀嬴政。

jīng guò yī fān sōu xún tài zǐ dān xuǎn zhòng le yī gè jiào jīng kē de rén jīng
经过一番搜寻，太子丹选中了一个叫荆轲的人。荆
kē jiàn shù gāo míng fēi cháng yǒng měng shì xíng cì yíng zhèng de zuì jiā rén xuǎn cǐ
轲剑术高明，非常勇猛，是行刺嬴政的最佳人选。此
wài tài zǐ dān hái ràng shǒu xià yī gè míng jiào qín wǔ yáng de yǒng shì zuò jīng kē de zhù
外，太子丹还让手下一个名叫秦舞阳的勇士做荆轲的助
shǒu yī qǐ qù qín guó xíng cì
手，一起去秦国行刺。

jīng kē dǎ suàn jiǎ bàn shǐ zhě qù jiàn yíng zhèng zài zhǎo jī huì cì shā tā kě
荆轲打算假扮使者去见嬴政，再找机会刺杀他，可
shì yíng zhèng shēng xìng duō yí nán yǐ jiē jìn
是嬴政生性多疑，难以接近。

jīng kē biàn tí yì shuō yào xiǎng yíng zhèng jiē jiàn wǒ men zhè jiù xū yào tài
荆轲便提议说："要想嬴政接见我们，这就需要太
zǐ jiāo chū liǎng yàng dōng xi yī shì dū gāng dì tú èr shì bèi nín shōu liú de qín guó
子交出两样东西，一是督亢地图，二是被您收留的秦国

pàn jiàng fán wū jī de rén tóu dū gāng tǔ dì féi wò yíng zhèng zǎo jiù chuí xián sān
叛将樊於期的人头。督亢土地肥沃，嬴政早就垂涎三
chǐ ér fán wū jī shì yíng zhèng fēi cháng tòng hèn de rén wǒ yào shi néng ná zhe dū
尺；而樊於期是嬴政非常痛恨的人。我要是能拿着督
gāng de dì tú hé fán jiāng jūn de tóu lú qù jiàn yíng zhèng tā yī dìng huì jiē jiàn wǒ
亢的地图和樊将军的头颅去见嬴政，他一定会接见我。”

kě shì tài zǐ dān bù rěn xīn shā diào fán wū jī jīng kē zhǐ hǎo zì jǐ qù
可是，太子丹不忍心杀掉樊於期，荆轲只好自己去
chóu huà tā zhǎo dào fán wū jī shuō wǒ jué dìng qù xíng cì yíng zhèng bù guò
筹划。他找到樊於期，说：“我决定去行刺嬴政。不过，
zhǐ yǒu dài shàng jiāng jūn nín de tóu lú yíng zhèng cái yǒu kě néng jiē jiàn wǒ
只有带上将军您的头颅，嬴政才有可能接见我。”

fán wū jī quán zú bèi yíng zhèng suǒ miè wèi le bào chóu yě wèi le bào dá tài
樊於期全族被嬴政所灭，为了报仇，也为了报答太
zǐ dān de shōu liú tā dāng jí bá jiàn zì shā
子丹的收留，他当即拔剑自杀。

gōng yuán qián nián jīng kē zhèng shì chū fā le tài zǐ dān dài zhe yī qún
公元前227年，荆轲正式出发了。太子丹带着一群
chén zǐ lái dào yì shuǐ biān wèi tā sòng bié lín xíng shí jīng kē miàn xiàng jiāng miàn chàng
臣子来到易水边为他送别。临行时，荆轲面向江面，唱
dào fēng xiāo xiāo xī yì shuǐ hán
道：“风萧萧兮易水寒，

zhuàng shì yī qù xī bù fù huán zhòng rén tīng le tā bēi zhuàng de gē shēng dōu shāng xīn
壮士一去兮不复还。”众人听了他悲壮的歌声，都伤心
de liú xià yǎn lèi
得流下眼泪。

jīng kē dài zhe qín wǔ yáng lái dào qín guó yíng zhèng tīng shuō yān guó pài shǐ zhě
荆轲带着秦舞阳来到秦国，嬴政听说燕国派使者
bǎ dū gāng dì tú hé fán wū jī de tóu lú sòng lái shí fēn gāo xìng xià lìng zài xián
把督亢地图和樊於期的头颅送来，十分高兴，下令在咸
yáng gōng jiē jiàn yān shǐ
阳宫接见燕使。

qín guó cháo táng wēi yán sù mù qín wǔ yáng gāng yī shàng diàn jiù hài pà de liǎng
秦国朝堂威严肃穆，秦舞阳刚一上殿，就害怕得两
shǒu fā dǒu liǎn sè qīng bái
手发抖，脸色青白。

qín wáng gōng de shì wèi jiàn le dà hè dào shǐ zhě wèi hé jīng huāng
秦王宫的侍卫见了，大喝道：“使者为何惊慌？”

jīng kē lián máng xiào zhe shuō tā shì gè cū yě de rén cóng lái méi jiàn guo
荆轲连忙笑着说：“他是个粗野的人，从来没见过
dà wáng de wēi yán qǐng dà wáng yuán liàng
大王的威严，请大王原谅。”

yíng zhèng dùn shí qǐ le yí xīn duì jīng kē shuō jiào tā tuì xià nǐ yī
嬴政顿时起了疑心，对荆轲说：“叫他退下，你一
gè rén shàng lái ba yú shì jīng kē yī gè rén pěng zhe dì tú hé zhuāng yǒu fán wū
个人上来吧。”于是，荆轲一个人捧着地图和装有樊於
jī tóu lú de mù xiá lái dào yíng zhèng miàn qián
期头颅的木匣来到嬴政面前。

yíng zhèng xiān shi dǎ kāi mù xiá kàn le kàn shí fēn mǎn yì jǐn jiē zhe tā
嬴政先是打开木匣看了看，十分满意。紧接着，他
yòu jiào jīng kē zhǎn shì dì tú
又叫荆轲展示地图。

jīng kē jiāng dì tú huǎn huǎn dǎ kāi yī diǎn yī diǎn de zhǐ gěi yíng zhèng kàn
荆轲将地图缓缓打开，一点一点地指给嬴政看。
děng dì tú zhǎn kāi dào jìn tóu shí cáng zài lǐ miàn de bǐ shǒu lù le chū lái
等地图展开到尽头时，藏在里面的匕首露了出来。

yíng zhèng yī jiàn bǐ shǒu dà jīng shī sè gǎn kuài tiào le qǐ lái jīng kē jiàn
嬴政一见匕首，大惊失色，赶快跳了起来。荆轲见
zhuàng lián máng lā zhù yíng zhèng de xiù zi rán hòu jǔ qǐ bǐ shǒu cì xiàng tā kě shì
状，连忙拉住嬴政的袖子，然后举起匕首刺向他，可是
méi yǒu cì zhòng
没有刺中。

zhè shí yíng zhèng měng de yī shǐ jìn zhèng duàn le yī xiù tā yī biān rào
这时，嬴政猛地一使劲，挣断了衣袖。他一边绕
zhe dà diàn shang de zhù zi táo pǎo yī biān xiǎng bá jiàn zì wèi kě shì shǒu máng jiǎo luàn
着大殿上的柱子逃跑，一边想拔剑自卫，可是手忙脚乱
zhōng cháng jiàn zěn me yě bá bù chū lái yú shì yíng zhèng hé jīng kē èr rén jiù zài
中，长剑怎么也拔不出来。于是，嬴政和荆轲二人就在
zhù zi páng táo lái shā qù
柱子旁逃来杀去。

tái jiē xià de qín guó dà chén kàn dào cǐ qíng cǐ jǐng xià de huāng le shǒu jiǎo
台阶下的秦国大臣看到此情此景，吓得慌了手脚，
dàn yě méi yǒu bàn fǎ yīn wèi gēn jù qín guó fǎ lǜ dà chén shàng cháo shì bù néng
但也没有办法。因为根据秦国法律，大臣上朝是不能
dài bīng qì de ér tái jiē xià de shì wèi méi yǒu qín wáng de mìng lìng bù zhǔn shàng diàn
带兵器的，而台阶下的侍卫没有秦王的命令不准上殿。

zhè shí yǒu gè tài yī jí zhōng shēng zhì ná qǐ shǒu li de yào guàn zi duì zhǔn
这时，有个太医急中生智，拿起手里的药罐子对准
jīng kē rēng le guò qù jīng kē máng yòng shǒu dǎng yíng zhèng chèn jī bá chū bǎo jiàn
荆轲扔了过去。荆轲忙用手挡，嬴政趁机拔出宝剑，
kǎn shāng le jīng kē de yī tiáo tuǐ jīng kē dǎo zài dì shang hái fèn lì bǎ bǐ shǒu
砍伤了荆轲的一条腿。荆轲倒在地上，还奋力把匕首
rēng xiàng yíng zhèng yíng zhèng yī shǎn shēn nà bǎ bǐ shǒu sōu de cóng tā ěr biān fēi
扔向嬴政。嬴政一闪身，那把匕首“嗖”地从他耳边飞
le guò qù jīng kē zhī dào zì jǐ xíng cì shī bài le
了过去。荆轲知道自己行刺失败了，
zhǐ néng yǎng tiān kǔ xiào
只能仰天苦笑。

zhè shí qín gōng shì wèi fēn fēn gǎn
这时，秦宫侍卫纷纷赶
lái yī tòng kǎn shā jié shù le jīng kē de
来，一通砍杀，结束了荆轲的
shēng mìng
生命。

# 秦王灭六国

QIN WANG MIE LIU GUO

荆轲刺秦失败后，秦王嬴政对燕国恨之入骨，立刻发兵去攻打燕国。燕太子丹亲自领兵抵抗，但根本不是秦军的对手。不久，燕军便被秦军打得七零八落。燕王和太子丹见大势已去，只能仓皇出逃。

然而，秦王并没消气，继续派兵追击，下令一定要捉拿太子丹。最后，燕王被逼无奈，只得杀了太子丹，将他的头颅献给秦王，以此认错求和。

秦王见燕国遭受重创，已经不可能对秦国构成威胁了，就把目标转向实力相对强大的魏国和楚国，集中主要兵力对他们发起进攻。

公元前225年，秦将王贲带领十万大军包围了魏都

dà liáng dāng shí zhèng zhí yīn yǔ jì jié
大梁。当时正值阴雨季节，

wáng bēn jiàn huáng hé biàn hé dōu cóng dà liáng chéng fù jìn liú guò biàn xiǎng dào le yī gè
王贲见黄河、汴河都从大梁城附近流过，便想到了一个

gōng xiàn dà liáng de hǎo zhǔ yi
攻陷大梁的好主意。

tā yī miàn mìng lìng shì bīng wā chū yī tiáo tōng wǎng dà liáng de shuǐ qú yī miàn pài
他一面命令士兵挖出一条通往大梁的水渠；一面派

rén zài hé shuǐ shàng yóu xiū zhù dī bà dǔ sè liú shuǐ
人在河水上游修筑堤坝，堵塞流水。

shuǐ qú xiū hǎo hòu yī lián shí tiān dōu zài xià dà yǔ dī bà li hěn kuài biàn
水渠修好后，一连十天都在下大雨，堤坝里很快便

jī mǎn le shuǐ wáng bēn jiàn shí jī yǐ dào jiù xià lìng ràng shì bīng fàng shuǐ yān chéng
积满了水。王贲见时机已到，就下令让士兵放水淹城。

hóng shuǐ xiōng yǒng ér xià zhí bèn dà liáng chéng dà liáng chéng bèi yān sān rì biàn chéng
洪水汹涌而下，直奔大梁城。大梁城被淹三日，变成

le yī piàn wāng yáng qín bīng chèn jī gōng chéng huó zhuō le wèi wáng
了一片汪洋。秦兵趁机攻城，活捉了魏王。

mièdiào wèi guó hòu qín wáng yòu bǎ jìn gōng de máo tóu zhuǎn xiàng le chǔ guó
灭掉魏国后，秦王又把进攻的矛头转向了楚国。

qín wáng wèn jiàng lǐng men gōng dǎ chǔ guó yào duō shao bīng mǎ dà jiàng lǐ xìn zì xìn
秦王问将领们攻打楚国要多少兵马，大将李信自信
mǎn mǎn de shuō bù guò èr shí wàn
满满地说：“不过二十万！”

lǎo jiàng wáng jiǎn què shuō chǔ guó shì dà guó fēi liù shí wàn bù kě
老将王翦却说：“楚国是大国，非六十万不可。”

qín wáng qiú shèng xīn qiè biàn mìng lǐ xìn wéi dà jiàng shuài bīng gōng dǎ chǔ guó
秦王求胜心切，便命李信为大将，率兵攻打楚国。

lǐ xìn dài zhe jūn duì lián rì gǎn lù dào dá chǔ guó shí bīng mǎ dōu hěn pí
李信带着军队连日赶路，到达楚国时，兵马都很疲
láo zài jiā shàng qín jūn duì chǔ guó de dì xíng bù shú xi zài chéng wài zhòng le chǔ
劳。再加上秦军对楚国的地形不熟悉，在城外中了楚
jūn de mái fú gāng yī jiāo shǒu qín jūn jiù chī le dà bài zhàng
军的埋伏。刚一交手，秦军就吃了大败仗。

qín wáng zhǐ hǎo yòu bài wáng jiǎn wéi dà jiàng kěn qǐng tā dài bīng chū zhàn
秦王只好又拜王翦为大将，恳请他带兵出战。

wáng jiǎn dài zhe liù shí wàn dà jūn hào hào dàng dàng de lái dào chǔ guó biān jìng
王翦带着六十万大军浩浩荡荡地来到楚国边境。
tā bìng bù jí zhe chū zhàn ér shì yī biān cāo liàn shì bīng yī biān zhǔn bèi liáng cǎo
他并不急着出战，而是一边操练士兵，一边准备粮草。

chǔ guó dà jiàng xiàng yān yī zài dài bīng qián lái xuān zhàn dàn rèn píng chǔ jūn dà
楚国大将项燕一再带兵前来宣战，但任凭楚军大
hǎn dà jiào wáng jiǎn jiān jué bì yíng bù chū zhè yàng guò le hěn jiǔ chǔ jūn jīng pí lì
喊大叫王翦坚决闭营不出。这样过了很久，楚军精疲力
jié jiàn jiàn fàng sōng le fáng bèi
竭，渐渐放松了防备。

yī nián duō hòu wáng jiǎn shuài lǐng dà jūn rào dào chǔ jūn bèi hòu fā dòng tū rán xí
一年多后，王翦率领大军绕到楚军背后发动突然袭
jī chǔ jūn shǒu máng jiǎo luàn de dǐ kàng le yī zhèn zuì hòu hái shi bèi dǎ de dà
击。楚军手忙脚乱地抵抗了一阵，最后还是被打得大
bài láng bèi ér táo
败，狼狈而逃。

wáng jiǎn chéng shèng zhuī jī gōng xià chǔ dū fú lǔ le chǔ wáng jiù zhè yàng
王翦乘胜追击，攻下楚都，俘虏了楚王。就这样，
liù guó zhōng yòu yī gè dà guó miè wáng le
六国中又一个大国灭亡了。

suí hòu qín wáng yòu pài wáng jiǎn de ér zi wáng bēn shuài lǐng jūn duì gōng dǎ yān guó
随后，秦王又派王翦的儿子王贲率领军队攻打燕国
de cán yú bīng mǎ gōng yuán qián nián wáng bēn fú lǔ le yān wáng chéng gōng miè
的残余兵马。公元前222年，王贲俘虏了燕王，成功灭
diào le yān guó
掉了燕国。

yān guó yī wáng zhàn guó qī xióng jiù zhǐ shèng xià qín guó hé qí guó le
燕国一亡，“战国七雄”就只剩下秦国和齐国了。

qí wáng jiàn hán zhào yān wèi chǔ wǔ guó dōu bèi gōng miè zì jǐ gū lì
齐王见韩、赵、燕、魏、楚五国都被攻灭，自己孤立
wú yuán ér qiě qí guó gēn běn bù shì qiáng qín de duì shǒu suǒ yǐ tā méi yǒu zuò
无援，而且齐国根本不是强秦的对手，所以，他没有做
rèn hé dǐ kàng jiù xiàng qín guó tóu xiáng le
任何抵抗，就向秦国投降了。

zhì cǐ qín wáng yíng zhèng chéng gōng de miè diào le liù guó tǒng yī le tiān
至此，秦王嬴政成功地灭掉了六国，统一了天
xià jié shù le zì chūn qiū zhàn guó yǐ lái cháng dá wǔ bǎi duō nián de fēn liè gē jù
下，结束了自春秋战国以来长达五百多年的分裂割据
jú miàn cóng cǐ guì zú wáng hóu zhuān zhèng de wáng guó shí dài jié shù le zhōng
局面。从此，贵族王侯专政的王国时代结束了，中
guó jìn rù le jūn zhǔ zhuān zhì de dì guó shí dài
国进入了君主专制的帝国时代。

# 秦始皇筑长城

QIN SHI HUANG ZHU CHANG CHENG

gōng yuán qián nián qín wáng yíng zhèng sǎo miè liù guó hòu jiàn lì le zhōng guó
公元前221年，秦王嬴政扫灭六国后，建立了中国
lì shǐ shang dì yī gè tǒng yī de duō mín zú de fēng jiàn zhōng yāng jí quán guó jiā qín cháo
历史上第一个统一的多民族的封建中央集权国家秦朝。

zhì cǐ yíng zhèng rèn wéi zì jǐ de gōng jì bǐ gǔ shí hou de sān huáng wǔ
至此，嬴政认为自己的功绩比古时候的“三皇五
dì hái yào dà yú shì tā cóng sān huáng wǔ dì zhōng qǔ chū huáng hé dì
帝”还要大。于是，他从“三皇五帝”中取出“皇”和“帝”
èr zì wèi zì jǐ chuàng zào le yī gè xīn de chēng hào huáng dì yīn wèi yíng
二字，为自己创造了一个新的称号——皇帝。因为嬴
zhèng shì zhōng guó lì shǐ shang dì yī gè huáng dì suǒ yǐ zì chēng wéi shǐ huáng dì hòu rén
政是中国历史上第一个皇帝，所以自称为始皇帝，后人
chēng tā wéi qín shǐ huáng
称他为秦始皇。

wèi le gǒng gù zì jǐ de tǒng zhì qín shǐ huáng bān bù le yī xì liè fǎ lìng
为了巩固自己的统治，秦始皇颁布了一系列法令。
bǐ rú fèi chú zì shāng zhōu yǐ lái de fēn fēng zhì cǎi yòng le jùn xiàn zhì tǒng yī
比如，废除自商周以来的分封制，采用了郡县制；统一
wén zì huò bì děng cǐ wài wèi le fáng zhǐ xiōng nú rù qīn qín shǐ huáng hái mìng
文字、货币等。此外，为了防止匈奴入侵，秦始皇还命
rén xiū zhù le wàn lǐ cháng chéng
人修筑了万里长城。

dāng shí běi fāng xiōng nú jūn duì huó dòng de dì fang
当时，北方匈奴军队活动的地方
lí qín cháo dū chéng xián yáng zhǐ yǒu jǐ bǎi lǐ suí shí dōu
离秦朝都城咸阳只有几百里，随时都
yǒu gōng zhàn xián yáng de kě néng kǎo lǜ dào guó jiā de ān wēi qín shǐ huáng jué dìng
有攻占咸阳的可能。考虑到国家的安危，秦始皇决定
pài jiàng lǐng méng tián shuài bīng qū zhú xiōng nú
派将领蒙恬率兵驱逐匈奴。

gōng yuán qián nián xià qiū zhī jì méng tián shuài lǐng sān shí wàn dà jūn gōng dǎ
公元前215年夏秋之季，蒙恬率领三十万大军攻打
hé tào dì qū de xiōng nú bù luò xiōng nú jūn duì dǐ dǎng bù zhù hào hào dàng dàng de
河套地区的匈奴部落。匈奴军队抵挡不住浩浩荡荡的
qín cháo dà jūn jié jié bài tuì
秦朝大军，节节败退。

xiōng nú suī rán bèi gǎn pǎo le kě qín shǐ huáng dān xīn tā men hái huì zài dù lái
匈奴虽然被赶跑了，可秦始皇担心他们还会再度来
xí wèi le xiāo chú hòu huàn qín shǐ huáng mìng lìng méng tián dà jūn jì xù liú shǒu biān
袭。为了消除后患，秦始皇命令蒙恬大军继续留守边
jiāng xiū zhù cháng chéng
疆，修筑长城。

qín cháng chéng shì zài qín zhào yān sān guó yuán yǒu cháng chéng de jī chǔ shang xiū
秦长城是在秦、赵、燕三国原有长城的基础上修
jiàn de xī qǐ lín táo dōng zhì liáo dōng cháng dá yī wàn duō lǐ yīn cǐ bèi hòu rén
建的，西起临洮，东至辽东，长达一万多里，因此被后人
chēng wéi wàn lǐ cháng chéng
称为万里长城。

wèi le xiū zhù cháng chéng qín cháo huā fèi le jù dà de rén lì wù lì bù jǐn dòng
为了修筑长城，秦朝花费了巨大的人力物力，不仅动
yòng wǔ shí wàn jūn duì hái měi nián qiáng zhēng jǐ shí wàn lǎo bǎi xìng xǔ duō bǎi xìng
用五十万军队，还每年强征几十万老百姓。许多百姓
zài jiān xīn de láo zuò zhōng sǐ qù jiàn jiàn de xiū zhù cháng chéng chéng le qín cháo bǎi
在艰辛的劳作中死去。渐渐地，修筑长城成了秦朝百
xìng zuì kǒng jù de yī jiàn shì zài hòu shì liú chuán zhe zhè yàng yī gè chuán shuō
姓最恐惧的一件事。在后世，流传着这样一个传说——

jù shuō zài hú běi fáng xiàn de dà shān li céng jū zhù zhe yī zhǒng quán shēn dōu
据说，在湖北房县的大山里，曾居住着一种全身都

zhǎng zhe cháng máo de máo rén tā men de zǔ xiān shì wèi le táo bì xiū zhù cháng
长着长毛的“毛人”。他们的祖先是为了逃避修筑长
chéng ér duǒ qǐ lái de zì cóng duǒ jìn shēn shān lǎo lín hòu máo rén de zǔ xiān jiù
城而躲起来的。自从躲进深山老林后，毛人的祖先就
méi yǒu chū qù guo shí jiān jiǔ le quán shēn jiù zhǎng chū cháng máo lái dāng yǒu rén zài
没有出去过，时间久了，全身就长出长毛来。当有人在
shān shang pèng dào máo rén shí máo rén huì wèn tā cháng chéng zhù wán le ma qín shǐ
山上碰到毛人时，毛人会问他：“长城筑完了吗？秦始
huáng hái huó zhe ma rú guǒ máo rén dé dào de huí dá shì cháng chéng hái méi yǒu zhù
皇还活着吗？”如果毛人得到的回答是“长城还没有筑
wán qín shǐ huáng hái zài máo rén jiù huì xià de gǎn jǐn duǒ qǐ lái
完，秦始皇还在”，毛人就会吓得赶紧躲起来。

suī rán zhè zhǐ shì yī gè chuán shuō dàn yě fǎn yìng le qín shǐ huáng zhù cháng chéng
虽然这只是一个传说，但也反映了秦始皇筑长城
gěi bǎi xìng dài lái de chén zhòng zāi nàn
给百姓带来的沉重灾难。

rán ér lìng qín shǐ huáng méi yǒu xiǎng dào de shì wàn lǐ cháng chéng bìng méi yǒu
然而，令秦始皇没有想到的是，万里长城并没有
bǎo zhù tā de dì yè cháng chéng jiàn chéng méi jǐ nián qín shǐ huáng jiù bìng sǐ le
保住他的帝业。长城建成没几年，秦始皇就病死了。
tā jiàn lì de dà qín dì guó bù dào èr shí nián jiù bèi tuī fān le
他建立的大秦帝国，不到二十年就被推翻了。

# 陈胜、吴广起义

CHEN SHENG WU GUANG QI YI

秦始皇死后，他的小儿子胡亥发动政变，登基为帝，他就是秦二世。秦二世为了保住皇位，下令屠杀了自己的兄弟姐妹二十多人。甚至一些反对他的大臣，也惨遭杀害。

巩固皇位后，秦二世更加残暴不仁。他先从各地征调了几十万人来为秦始皇修建陵墓。修完了陵墓，他又让人建造富丽堂皇的阿房宫。除了这些大工程，秦二世还调集不少百姓去修长城、守边疆。在他的统治下，民不聊生，苦不堪言。

公元前209年，阳城（今河南登封境内）的地方官按照秦二世的命令，派两名军官押解着九百多名壮丁

qù shǒu wèi yú yáng jīn běi jīng jìng nèi jūn guān cóng zhè pī zhuàng dīng zhōng tiāo xuǎn
去守卫渔阳（今北京境内）。军官从这批壮丁中挑选

le liǎng gè qiáng zhuàng néng gàn de rén dāng tún zhǎng ràng tā men guǎn lǐ duì wu zhè liǎng
了两个强壮能干的人当屯长，让他们管理队伍。这两

gè rén yī gè jiào chén shèng yī gè jiào wú guǎng
个人一个叫陈胜，一个叫吴广。

yī xíng rén lái dào dà zé xiāng shí zhèng gǎn shàng lián rì de qīng pén dà yǔ dào
一行人来到大泽乡时，正赶上连日的倾盆大雨，道

lù ní nìng bù kān wú fǎ xíng zǒu zhǐ néng tíng le xià lái yǎn kàn qī xiàn jiāng jìn
路泥泞不堪，无法行走，只能停了下来。眼看期限将近，

chén shèng xīn lǐ fēi cháng zháo jí yīn wèi àn zhào qín guó de fǎ lǜ yán wù rì qī shì
陈胜心里非常着急，因为按照秦国的法律，延误日期是

yào bèi shā tóu de
要被杀头的。

yú shì chén shèng tōu tōu de pǎo qù gēn wú guǎng
于是，陈胜偷偷地跑去跟吴广

shāng liang kàn lái wǒ men shì wú fǎ zài guī
商量："看来，我们是无法在规

dìng de rì qī
定的日期

qián gǎn dào yú yáng le zhè yī qù jiù shì bái bái sòng sǐ a jì rán qù yě shì sǐ
前赶到渔阳了，这一去就是白白送死啊！既然去也是死，
táo pǎo yě shì sǐ wǒ men wèi shén me bù qǐ lái zào fǎn ne shuō bu dìng hái yǒu yī
逃跑也是死，我们为什么不起来造反呢？说不定还有一
xiàn shēng jī
线生机！”

jiē zhe chén shèng yòu shuō wǒ tīng shuō zhè tiān xià běn gāi yóu gōng zǐ fú sū
接着，陈胜又说：“我听说，这天下本该由公子扶苏
lái jì chéng de bǎi xìng yě yōng hù tā dàn tā bèi hú hài hài sǐ le lìng wài xiàng
来继承的，百姓也拥护他，但他被胡亥害死了；另外，项
yān yuán shì chǔ guó míng jiàng chǔ dì de bǎi xìng zhì jīn hái hěn huái niàn tā rú guǒ wǒ
燕原是楚国名将，楚地的百姓至今还很怀念他。如果我
men jiè yòng fú sū xiàng yān de míng yì xiàng tiān xià bǎi xìng fā chū qǐ yì de hào zhào
们借用扶苏、项燕的名义，向天下百姓发出起义的号召，
yīng gāi huì yǒu hěn duō rén xiǎng yìng
应该会有很多人响应。”

wú guǎng tīng le chén shèng de fēn xī jué de shí fēn yǒu dào lǐ biàn jué xīn gēn
吴广听了陈胜的分析，觉得十分有道理，便决心跟
tā yī qǐ zào fǎn
他一起造反。

dì èr tiān jūn zhōng huǒ fū zài shā yú de shí hou cóng yú dù zi li chě chū
第二天，军中伙夫在杀鱼的时候，从鱼肚子里扯出
le yī kuài sī chóu shàng miàn xiě zhe chén shèng wàng sān gè zì huǒ fū kàn le fēi
了一块丝绸，上面写着“陈胜王”三个字。伙夫看了非
cháng jīng yà rěn bù zhù dào chù xiàng rén sù shuō shí jì shàng zhè kuài sī chóu shì chén
常惊讶，忍不住到处向人诉说。实际上，这块丝绸是陈
shèng hé wú guǎng àn zhōng sāi dào yú dù zi li de
胜和吴广暗中塞到鱼肚子里的。

dàng tiān yè lǐ wú guǎng yòu pǎo dào fù jìn de yī zuò pò miào mó fǎng hú li
当天夜里，吴广又跑到附近的一座破庙，模仿狐狸

的叫声喊道："大楚复兴，陈胜为王！大楚复兴，陈胜为王！"大家听了都指着陈胜议论纷纷。

陈胜知道，起义的时机已经来临了，便借机杀掉领头的两个军官。接着，陈胜又把大家召集起来，说："我们现在已经延误了日期，朝廷一定会杀我们的。男子汉大丈夫，要死就死得轰轰烈烈。那些王侯将相，难道都是天生的贵种吗？"

dà huǒr tīng le fēn fēn xiǎng yìng wǒ men tīng nǐ de
大伙儿听了，纷纷响应：“我们听你的！”

yú shì chén shèng dǎ zhe fú sū xiàng yān de qí hào kāi shǐ fǎn kàng bào qín
于是，陈胜打着扶苏、项燕的旗号，开始反抗暴秦。
zài bǎi xìng de yōng hù xià qǐ yì jūn hěn kuài jiù zhuàng dà qǐ lái méi guò duō jiǔ
在百姓的拥护下，起义军很快就壮大起来。没过多久，
chén shèng zì lì wéi wáng jiàn lì dà chǔ zhèng quán xuān chēng yào chóng jiàn chǔ guó
陈胜自立为王，建立“大楚”政权，宣称要重建楚国。

qǐ yì jūn jié jié shèng lì zhàn lǐng le hěn duō dì fang kě zhàn xiàn yuè lā
起义军节节胜利，占领了很多地方，可战线越拉
yuè cháng qǐ yì jūn de nèi bù máo dùn yě yuè lái yuè duō hòu lái wú guǎng zài zhàn
越长，起义军的内部矛盾也越来越多。后来，吴广在战
dòu zhōng shēn wáng chén shèng yě bèi pàn tú shā hài zhè cì qǐ yì zuì zhōng wèi néng
斗中身亡，陈胜也被叛徒杀害。这次起义最终未能
huò dé chéng gōng jǐn guǎn rú cǐ
获得成功。尽管如此，
yóu chén shèng wú guǎng diǎn rán de fǎn
由陈胜、吴广点燃的反
qín zhī huǒ què yuè shāo yuè wàng
秦之火却越烧越旺。

# 项羽破釜沉舟

XIANG YU PO FU CHEN ZHOU

chén shèng wú guǎng qǐ yì hòu gè dì bǎi xìng fēn fēn qǐ lái fǎn kàng qín cháo
陈胜、吴广起义后，各地百姓纷纷起来反抗秦朝。
méi guò duō jiǔ zhào qí yān chǔ děng guó de jiù guì zú xiāng jì zài gè zì de
没过多久，赵、齐、燕、楚等国的旧贵族，相继在各自的
tǔ dì shang zì lì wéi wáng huī fù le yǐ wáng guó jiā de chēng hào
土地上自立为王，恢复了已亡国家的称号。

dāng shí qǐ yì jūn fēn bù zài quán guó gè dì zài wú zhōng qǐ bīng de shì xiàng
当时，起义军分布在全国各地，在吴中起兵的是项
liáng hé tā de zhí ér xiàng yǔ xiàng liáng jiù shì chǔ guó míng jiàng xiàng yān de ér zi
梁和他的侄儿项羽。项梁就是楚国名将项燕的儿子。
xiàng yǔ hěn xiǎo de shí hou fù qīn jiù qù shì le tā zài shū shu xiàng liáng de zhào
项羽很小的时候，父亲就去世了。他在叔叔项梁的照
gù xià zhǎng dà lì zhì yào wèi guó jiā bào chóu xuě chǐ dé zhī chén shèng qǐ yì de
顾下长大，立志要为国家报仇雪耻。得知陈胜起义的
xiāo xi hòu xiàng liáng hé xiàng yǔ jué de wèi chǔ guó bào chóu de shí hou dào le biàn zhào
消息后，项梁和项羽觉得为楚国报仇的时候到了，便召
jí bā qiān zǐ dì bīng qǐ bīng fǎn qín
集八千子弟兵，起兵反秦。

xiàng liáng xiàng yǔ dài zhe zǐ dì bīng dù jiāng hěn kuài jiù dǎ xià le guǎng líng
项梁、项羽带着子弟兵渡江，很快就打下了广陵
jīn jiāng sū yáng zhōu jìng nèi jiē zhe dù guò huái hé yán tú yǒu hěn duō rén fēn fēn
（今江苏扬州境内），接着渡过淮河，沿途有很多人纷纷

jiā rù tā men de duì wu suǒ yǐ duì wu hěn kuài jiù fā zhǎn chéng liù qī wàn rén le
加入他们的队伍，所以队伍很快就发展成六七万人了。

hòu lái xiàng liáng hái zhǎo dào le chǔ huái wáng liú luò zài mín jiān de sūn zi xióng
后来，项梁还找到了楚怀王流落在民间的孙子熊
xīn dāng nián chǔ huái wáng shòu piàn sǐ zài le qín guó zhè shì chǔ dì bǎi xìng xīn zhōng
心。当年，楚怀王受骗死在了秦国，这是楚地百姓心中
yǒng yuǎn de shāng tòng wèi le shùn yìng mín xīn xiàng shì shū zhí jiù lì xióng xīn wéi chǔ
永远的伤痛。为了顺应民心，项氏叔侄就立熊心为楚
wáng réng chēng tā wéi chǔ huái wáng
王，仍称他为楚怀王。

gōng yuán qián nián qín jiàng zhāng hán shuài lǐng dà jūn gōng dǎ zhào guó jù lù
公元前208年，秦将章邯率领大军攻打赵国巨鹿。
zhào jūn wú fǎ dǐ kàng lián máng pài rén xiàng qí yān chǔ děng guó qiú jiù
赵军无法抵抗，连忙派人向齐、燕、楚等国求救。

chǔ huái wáng jiē dào xiāo xi hòu xiǎng chèn zhe qín cháo dà jūn qīng cháo chū dòng ér
楚怀王接到消息后，想趁着秦朝大军倾巢出动而
qù jìn gōng qín cháo guó dū xián yáng wèi le jī lì jiàng shì chǔ huái wáng hái xià dá le
去进攻秦朝国都咸阳。为了激励将士，楚怀王还下达了
yī dào mìng lìng shéi xiān gōng rù xián yáng jiù fēng shéi wéi wáng
一道命令：谁先攻入咸阳，就封谁为王。

yīn wèi shū shu xiàng liáng cǐ qián zài yǔ qín jūn zuò zhàn shí sǐ zài le zhāng hán de
因为叔叔项梁此前在与秦军作战时，死在了章邯的
shǒu zhōng xiàng yǔ jí yú wèi shū shu bào chóu yú shì xiàng chǔ huái wáng qǐng qiú chū bīng jù
手中，项羽急于为叔叔报仇，于是向楚怀王请求出兵巨
lù gōng dǎ zhāng hán
鹿攻打章邯。

xiàng yǔ xiāo yǒng shàn zhàn tā shǒu xiān pài liǎng wàn rén zuò xiān fēng dù guò zhāng hé
项羽骁勇善战，他首先派两万人做先锋，渡过漳河，
qiē duàn qín jūn yùn liáng shi de dào lù rán hòu xiàng yǔ zài shuài lǐng quán jūn dù hé
切断秦军运粮食的道路。然后，项羽再率领全军渡河。

当军队渡过漳河，准备与秦军展开大战时，项羽突然下令所有的士兵只准带三天的粮食前进。而且他还当着将士们的面，放火烧掉了营房和行军帐篷，砸碎了军营中烧饭用的器具。紧接着，他还让人把行军的渡船全都凿沉。

最后，项羽慷慨激昂地对士兵们说：“我们这次作战，只能进，不能退！大家若想活下去，就一定要在三天内打败秦军！”

chǔ jūn yī kàn fàn guō hé dù chuán quán bèi zá huài　méi yǒu le tuì lù　biàn dōu
楚军一看饭锅和渡船全被砸坏，没有了退路，便都

mǎo zú jìn　jué yì yǔ qín jūn pīn gè nǐ sǐ wǒ huó　kāi zhàn zhī hòu　chǔ jūn shì
铆足劲，决意与秦军拼个你死我活。开战之后，楚军士

qì gāo zhǎng　yuè zhàn yuè yǒng　qín jūn bèi xiàng yǔ jūn duì de qiáng dà qì shì xià pò
气高涨，越战越勇。秦军被项羽军队的强大气势吓破

le dǎn　méi zhàn jǐ gè huí hé　biàn huāng máng chè tuì le
了胆，没战几个回合，便慌忙撤退了。

suí hòu　xiàng yǔ jì xù lǐng bīng chū zhàn　jīng guò jǐ fān jī liè zhàn dòu　chǔ
随后，项羽继续领兵出战，经过几番激烈战斗，楚

jūn yǐ shǎo shèng duō　dǎ bài le qín jūn　qín jiàng wáng lí bèi zhuō　zhǔ shuài zhāng hán
军以少胜多，打败了秦军。秦将王离被捉，主帅章邯

láng bèi táo pǎo
狼狈逃跑。

qí shí jiù zài xiàng yǔ yǔ qín jūn
其实，就在项羽与秦军
sī shā zhī jì yǒu lìng wài shí jǐ lù rén mǎ yě gǎn
厮杀之际，有另外十几路人马也赶
lái jiù yuán zhào guó le kě shì tā men dōu hài pà qín jūn de qiáng dà suǒ
来救援赵国了。可是他们都害怕秦军的强大，所
yǐ zhā xià yíng zhài bù gǎn shàng qián bāng máng
以扎下营寨，不敢上前帮忙。

dāng chǔ jūn qì shì xiōng xiōng de shā xiàng qín jūn shí gè lù jūn duì de jiàng lǐng
当楚军气势汹汹地杀向秦军时，各路军队的将领
dōu jǐ zài yíng lěi shang guān zhàn děng dào xiàng yǔ dǎ bài qín jūn qǐng tā men dào jūn
都挤在营垒上观战。等到项羽打败秦军，请他们到军
yíng xiāng jiàn shí zhè xiē jiàng lǐng dōu bèi xiàng yǔ zài jù lù yī zhàn zhōng biǎo xiàn chū lái
营相见时，这些将领都被项羽在巨鹿一战中表现出来
de wēi měng suǒ zhé fú xià de xīn jīng dǎn zhàn guì zhe pá jìn jūn zhàng lián tóu yě
的威猛所折服，吓得心惊胆战，跪着爬进军帐，连头也
bù gǎn tái qǐ lái
不敢抬起来。

cóng zhè yǐ hòu xiàng yǔ chéng le fǎn qín jūn duì zhōng zuì yǒu wēi wàng de rén wù
从这以后，项羽成了反秦军队中最有威望的人物。

# 鸿门宴

HONG MEN YAN

dāng xiàng yǔ shuài bīng gōng dǎ jù lù de shí hou liú bāng zhèng lǐng bīng zhí qǔ xián
当项羽率兵攻打巨鹿的时候，刘邦正领兵直取咸
yáng yǎn kàn jú shì yuè lái yuè wēi jí qín cháo jiān chén zhào gāo pài rén shā sǐ le qín
阳。眼看局势越来越危急，秦朝奸臣赵高派人杀死了秦
èr shì yōng lì zǐ yīng wéi xīn huáng dì méi guò jǐ tiān zǐ yīng zhǔ dòng fèi diào dì
二世，拥立子婴为新皇帝。没过几天，子婴主动废掉帝
hào jiàng dī shēn fèn kāi shǐ chēng wáng
号，降低身份，开始称王。

zǐ yīng shēn zhī zhào gāo luàn guó tā yī miàn shā sǐ zhào gāo yī miàn shuài lǐng dà
子婴深知赵高乱国，他一面杀死赵高，一面率领大
chén xiàng liú bāng tóu xiáng liú bāng yīn cǐ shùn shùn lì lì de zhàn lǐng le xián yáng chéng
臣向刘邦投降。刘邦因此顺顺利利地占领了咸阳城。

jìn chéng yǐ hòu liú bāng tīng cóng móu shì zhāng liáng de jiàn yì jiāng qín gōng li de
进城以后，刘邦听从谋士张良的建议，将秦宫里的
cái bǎo quán dōu fēng cún qǐ lái hái xià lìng jìn zhǐ shì bīng zài chéng zhōng shāo shā qiǎng lüè
财宝全都封存起来，还下令禁止士兵在城中烧杀抢掠。
bǎi xìng tīng shuō hòu yī piàn huān xǐ fēn fēn yōng hù liú bāng
百姓听说后，一片欢喜，纷纷拥护刘邦。

xiàng yǔ zài jù lù dé zhī liú bāng zhàn lǐng le xián yáng fēi cháng nǎo huǒ lì kè
项羽在巨鹿得知刘邦占领了咸阳，非常恼火，立刻
shuài lǐng sì shí wàn dà jūn gǎn dào hóng mén jīn shǎn xī xī ān shì lín tóng qū dōng běi
率领四十万大军赶到鸿门（今陕西西安市临潼区东北

鸿门堡村）。当时，刘邦的十万兵马已经撤出咸阳，驻扎在灞上。

谋士范增对项羽说：“刘邦原本是个贪财好色的人，现在他攻占咸阳却不贪图财宝和美女，可见他的野心很大啊！”项羽听了，立刻准备去攻打刘邦。

项羽的叔叔项伯知道这件事后，心里很着急。原来，刘邦的谋士张良曾救过项伯的命。于是，项伯连夜骑马赶到灞上，劝张良逃走。但张良不愿背弃刘邦，还将项羽即将发兵的消息告诉了刘邦。

liú bāng tīng hòu shí fēn jīng huāng máng hé zhāng liáng yī tóng qù jiàn xiàng bó shuō
刘邦听后十分惊慌，忙和张良一同去见项伯，说：
xiàng jiāng jūn shì gài shì yīng xióng wǒ liú bāng zěn gǎn qiǎng tā de gōng láo zài xián yáng
“项将军是盖世英雄，我刘邦怎敢抢他的功劳，在咸阳
chēng wáng ne nín yī dìng yào zài xiàng jiāng jūn miàn qián bāng wǒ shuō xiē hǎo huà biǎo míng
称王呢？您一定要在项将军面前帮我说些好话，表明
wǒ de xīn yì a xiàng bó xiāng xìn le liú bāng de huà ràng tā dì èr tiān qù hóng
我的心意啊！”项伯相信了刘邦的话，让他第二天去鸿
mén qīn zì xiàng xiàng yǔ xiè zuì
门亲自向项羽谢罪。

dì èr tiān liú bāng dài zhe zhāng liáng fán kuài hé yī bǎi duō gè shì bīng lái dào
第二天，刘邦带着张良、樊哙和一百多个士兵来到
hóng mén rù yíng zhī hòu liú bāng zhí jiē guì zài dì shang duì xiàng yǔ shuō suī rán
鸿门。入营之后，刘邦直接跪在地上，对项羽说：“虽然
wǒ hěn xìng yùn qiǎng xiān gōng zhàn le xián yáng dàn wǒ zhǐ shì zàn shí tì jiāng jūn kān shǒu
我很幸运，抢先攻占了咸阳，但我只是暂时替将军看守
xián yáng xīn lǐ yī zhí pàn wàng zhe jiāng jūn nín gǎn kuài dào lái a
咸阳，心里一直盼望着将军您赶快到来啊！”

xiàng yǔ kàn dào liú bāng gōng jìng shùn cóng de yàng zi xīn zhōng de nù huǒ xiāo sàn
项羽看到刘邦恭敬顺从的样子，心中的怒火消散
le xǔ duō jiàn jiàn de xiàng yǔ fàng xià le duì liú bāng de jiè xīn bìng shè yàn kuǎn
了许多。渐渐地，项羽放下了对刘邦的戒心，并设宴款
dài tā fàn zēng jiàn xiàng yǔ bù shā liú bāng xīn lǐ hěn zháo jí duō cì xiàng xiàng yǔ
待他。范增见项羽不杀刘邦，心里很着急，多次向项羽
shǐ yǎn sè ràng tā dòng shǒu kě xiàng yǔ yī zhí jiǎ zhuāng méi kàn jiàn
使眼色，让他动手，可项羽一直假装没看见。

fàn zēng zhǐ hǎo dào zhàng wài zhǎo dào xiàng yǔ de táng dì xiàng zhuāng duì tā shuō
范增只好到帐外找到项羽的堂弟项庄，对他说：
jiāng jūn xīn tài ruǎn le nǐ kuài jìn qù wǔ jiàn zhù xìng zhǎo jī huì shā diào liú bāng
“将军心太软了，你快进去舞剑助兴，找机会杀掉刘邦。”

yú shì xiàng zhuāng tí zhe cháng jiàn zǒu jìn zhàng nèi bá jiàn qǐ wǔ xiàng bó kàn
于是，项庄提着长剑走进帐内拔剑起舞。项伯看
chū le tā de yòng yì bá qǐ jiàn lái hé tā duì wǔ hái bù tíng de bǎ shēn zi dǎng
出了他的用意，拔起剑来和他对舞，还不停地把身子挡
zài liú bāng miàn qián zhāng liáng jiàn xíng shì bù miào gǎn jǐn zǒu chū jūn yíng duì fán kuài
在刘邦面前。张良见形势不妙，赶紧走出军营，对樊哙
shuō pèi gōng liú bāng chǔ jìng wēi xiǎn xiàng zhuāng wǔ jiàn shì yào shā sǐ pèi gōng a
说："沛公(刘邦)处境危险，项庄舞剑，是要杀死沛公啊！"

fán kuài tīng le yòu shǒu tí jiàn zuǒ shǒu ná dùn chōng jìn zhàng nèi
樊哙听了，右手提剑，左手拿盾，冲进帐内。

xiàng yǔ jiàn fán kuài rú cǐ yǒng měng bù dàn bù zé guài fǎn ér xīn shēng jìng
项羽见樊哙如此勇猛，不但不责怪，反而心生敬
pèi tā mìng rén duān shàng jiǔ cài zhāo dài fán kuài fán kuài háo bù kè qi de yī biān
佩。他命人端上酒菜招待樊哙，樊哙毫不客气地一边
hē jiǔ yī biān zé bèi xiàng yǔ dāng chū chǔ huái wáng yǔ
喝酒，一边责备项羽："当初楚怀王与
jiàng shì men yuē dìng shéi xiān gōng xià xián yáng shéi jiù
将士们约定，谁先攻下咸阳，谁就
wéi wáng xiàn zài pèi gōng gōng zhàn le
为王。现在，沛公攻占了
xián yáng bìng méi yǒu chēng wáng
咸阳，并没有称王，

ér shì bǎ jūn duì zhù zhā zài bà shàng rì yè qī pàn jiāng jūn dào lái pèi gōng zhè yàng
而是把军队驻扎在灞上，日夜期盼将军到来。沛公这样
zhōng xīn gěng gěng jiāng jūn zěn me yào shā pèi gōng ne xiàng yǔ wú yán yǐ duì
忠心耿耿，将军怎么要杀沛公呢？”项羽无言以对。

guò le yī huìr liú bāng jiè kǒu qù shàng cè suǒ liú xià zhāng liáng dài tā xiàng
过了一会儿，刘邦借口去上厕所，留下张良代他向
xiàng yǔ gào cí zì jǐ tōu tōu qí shàng kuài mǎ táo huí bà shàng
项羽告辞，自己偷偷骑上快马，逃回灞上。

zhāng liáng duì xiàng yǔ shuō pèi gōng hē zuì le dān xīn shī lǐ suǒ yǐ xiān huí
张良对项羽说：“沛公喝醉了，担心失礼，所以先回
bà shàng le pèi gōng jiào wǒ fèng shàng bái bì yī shuāng xiàn gěi jiāng jūn yù dǒu yī
灞上了。沛公叫我奉上白璧一双，献给将军；玉斗一
shuāng xiàn gěi yà fù xiàng yǔ duì fàn zēng de zūn chēng
双，献给亚父（项羽对范增的尊称）！”

fàn zēng zhī dào hòu shí fēn shēng qì bǎ yù dǒu shuāi gè fěn suì qì hū hū
范增知道后，十分生气，把玉斗摔个粉碎，气呼呼
de shuō jiāng lái néng duó dé tiān xià
地说：“将来能夺得天下
de yī dìng shì liú bāng wǒ men
的一定是刘邦！我们
jiù děng zhe zuò tā de
就等着做他的
nú pú ba
奴仆吧！”

# 四面楚歌

SI MIAN CHU GE

鸿门宴后，项羽自称西楚霸王，封刘邦为汉王。在项羽的逼迫下，刘邦不得不率军进入交通闭塞、经济落后的巴蜀地区。进入巴蜀后，刘邦大力发展经济，后来还将富饶的汉中弄到手，力量逐渐壮大起来。

与此同时，刘邦在丞相萧何的推荐下，封韩信为大将，让他操练兵马，准备跟项羽争夺天下。韩信足智多谋，用兵如神，是一个难得的军事天才。

韩信当上大将后，打了不少胜仗，平定了许多诸侯。公元前203年，韩信在垓下（今安徽境内）聚集三十万兵马，布下十面埋伏，准备与项羽展开最后决战。当时，项羽身边只有十万人马，不敢贸然出动。

wèi le yǐn yòu xiàng yǔ shàng dàng hán xìn pài rén qù chǔ jūn jūn
为了引诱项羽上当，韩信派人去楚军军
yíng qián rǔ mà xiàng yǔ xìng gé gāng liè de xiàng yǔ yī tīng nǎo xiū chéng nù lì jí
营前辱骂项羽。性格刚烈的项羽一听，恼羞成怒，立即
shuài lǐng dà jūn chōng dào gāi xià jié guǒ bèi hàn jūn céng céng bāo wéi xiàng yǔ dài zhe
率领大军冲到垓下，结果，被汉军层层包围。项羽带着
bù xià xiǎng shā chū yī tiáo xuè lù dàn shì shā tuì le yī pī yòu lái le yī pī
部下想杀出一条血路，但是杀退了一批，又来了一批。
zuì hòu xiàng yǔ dà bài zhǐ hǎo tuì huí gāi xià de dà yíng jiān shǒu
最后，项羽大败，只好退回垓下的大营坚守。

zhè shí xiàng yǔ bù jǐn bīng shǎo liáng shi yě bù gòu chī le xíng shì wàn fēn
这时，项羽不仅兵少，粮食也不够吃了，形势万分
wēi jí yè lǐ xiàng yǔ zhèng kǔ kǔ sī suǒ zhe tū wéi de duì cè hū rán tīng jiàn
危急。夜里，项羽正苦苦思索着突围的对策，忽然听见
sì miàn bā fāng chuán lái hàn jūn gāo chàng chǔ gē de shēng yīn xiàng yǔ dà chī yī jīng
四面八方传来汉军高唱楚歌的声音。项羽大吃一惊，

xīn xiǎng nán dào chǔ rén quán dōu tóu xiáng hàn jūn le ma yào bù rán
心想：难道楚人全都投降汉军了吗？要不然，
hàn jūn zhōng zěn me huì yǒu zhè me duō rén chàng chǔ gē ne
汉军中怎么会有这么多人唱楚歌呢？

qí shí zhè shì hán xìn de jì móu tā gù yì ràng rén jiāo huì hàn jūn chàng
其实，这是韩信的计谋。他故意让人教会汉军唱
chǔ gē zhè yàng yī lái kě yǐ mí huò chǔ jūn shǐ tā men yǐ wéi liú bāng yǐ zhàn
楚歌，这样一来，可以迷惑楚军，使他们以为刘邦已占
lǐng tā men de jiā xiāng èr lái yòu néng yǐn qǐ chǔ bīng de sī xiāng zhī qíng dòng yáo
领他们的家乡；二来，又能引起楚兵的思乡之情，动摇
chǔ jūn de jūn xīn guǒ rán zài chǔ gē shēng zhōng chǔ jūn jiàng shì xiǎng qǐ le fù mǔ
楚军的军心。果然，在楚歌声中，楚军将士想起了父母
qī ér fēi cháng shāng gǎn hěn duō shì bīng dōu tōu tōu de táo pǎo le
妻儿，非常伤感，很多士兵都偷偷地逃跑了。

xiàng yǔ xīn qíng dī luò bǎ zì jǐ chǒng ài de měi rén yú jī jiào dào shēn biān
项羽心情低落，把自己宠爱的美人虞姬叫到身边，
yòu ràng rén qiān lái bàn suí zì jǐ chū shēng rù sǐ de wū zhuī mǎ yī biān hē jiǔ yī
又让人牵来伴随自己出生入死的乌骓马，一边喝酒，一

biān bēi tòng de chàng dào lì bá shān xī qì gài shì shí bù lì xī zhuī bù shì zhuī
边悲痛地唱道："力拔山兮气盖世，时不利兮骓不逝。骓
bù shì xī kě nài hé yú xī yú xī nài ruò hé
不逝兮可奈何，虞兮虞兮奈若何！"

zhè shǒu shī de yì si shì wǒ de lì qi zú yǐ bá qǐ yī zuò shān wǒ de
这首诗的意思是：我的力气足以拔起一座山，我的
qì gài néng gòu yā dǎo tiān xià hǎo hàn kě shì shí yùn bù jì wū zhuī mǎ nán yǐ qián
气概能够压倒天下好汉。可是时运不济，乌骓马难以前
xíng gāi rú hé shì hǎo ne hái yǒu yú jī wǒ yòu gāi zěn yàng ān pái nǐ ne
行，该如何是好呢？还有虞姬，我又该怎样安排你呢？

xiàng yǔ chàng le yī biàn yòu yī biàn yú jī tīng le rěn bù zhù liú xià yǎn lèi
项羽唱了一遍又一遍，虞姬听了忍不住流下眼泪。
kàn zhe xiàng yǔ tòng kǔ wéi nán de yàng zi yú jī shí zài bù rěn xīn jiù tōu tōu de
看着项羽痛苦为难的样子，虞姬实在不忍心，就偷偷地
bá jiàn zì shā le
拔剑自杀了。

yú jī yī sǐ xiàng yǔ bēi tòng jiāo jiā fān shēn qí shàng wū zhuī mǎ dài lǐng
虞姬一死，项羽悲痛交加，翻身骑上乌骓马，带领
yú xià de bā bǎi shì bīng pīn sǐ tū chū chóng wéi hán xìn gǎn máng dài bīng zhuī gǎn xiàng
余下的八百士兵拼死突出重围，韩信赶忙带兵追赶。项
yǔ yī lù fēi bēn zuì hòu què mí lù le bù zhī dào wǎng nǎ biān zǒu cái néng dào dá
羽一路飞奔，最后却迷路了，不知道往哪边走才能到达
dà běn yíng péng chéng
大本营彭城。

yú shì xiàng yǔ xiàng yī gè zhuāng jia rén wèn lù zhuāng jia rén piàn tā shuō wǎng
于是，项羽向一个庄稼人问路，庄稼人骗他说："往
zuǒ zǒu xiàng yǔ dài lǐng shì bīng yī zhí wǎng zuǒ zǒu jié guǒ qián miàn shì yī piàn dī
左走。"项羽带领士兵一直往左走，结果前面是一片低
wā dì wú fǎ tōng xíng yú shì xiàng yǔ yòu xiàng dōng pǎo yī zhí táo dào wū jiāng biān
洼地，无法通行。于是，项羽又向东跑，一直逃到乌江边。

wū jiāng biān tíng zhe yī zhī xiǎo chuán
乌江边停着一只小船，

yuán lái shì wū jiāng tíng zhǎng zài zhè lǐ děng hòu xiàng yǔ tā quàn xiàng yǔ guò jiāng huí
原来是乌江亭长在这里等候项羽。他劝项羽过江，回

dào jiāng dōng zài tú dōng shān zài qǐ
到江东再图东山再起。

xiàng yǔ kǔ xiào zhe shuō dāng chū wǒ hé jiāng dōng zǐ dì dù guò jiāng lái dǎ tiān
项羽苦笑着说："当初我和江东子弟渡过江来打天

xià xiàn zài tā men dōu bù zài le wǒ nǎ yǒu liǎn miàn qù jiàn jiāng dōng fù lǎo a
下，现在，他们都不在了，我哪有脸面去见江东父老啊？"

shuō wán xiàng yǔ bǎ xīn ài de wū zhuī mǎ sòng gěi le tíng zhǎng rán hòu bá chū
说完，项羽把心爱的乌骓马送给了亭长，然后拔出

bǎo jiàn huí guò tóu qù jì xù hé hàn jūn pīn shā zuì hòu xiàng yǔ shēn biān de jiàng shì
宝剑，回过头去继续和汉军拼杀。最后，项羽身边的将士

quán dōu dǎo xià le tā zì jǐ yě shòu le shí jǐ chù shāng yú shì huī jiàn zì shā le
全都倒下了，他自己也受了十几处伤，于是挥剑自杀了。

# 刘邦建汉杀功臣

LIU BANG JIAN HAN SHA GONG CHEN

liú bāng dǎ bài xiàng yǔ hòu yú gōng yuán qián nián jiàn lì le hàn cháo shǐ
刘邦打败项羽后，于公元前202年建立了汉朝，史
chēng xī hàn liú bāng jiù shì hàn gāo zǔ
称西汉。刘邦就是汉高祖。

yǒu yī cì hàn gāo zǔ wèn zhòng wèi dà chén nǐ men zhī dào wǒ wèi shén me
有一次，汉高祖问众位大臣：“你们知道我为什么
néng dé dào tiān xià ma dà chén men nǐ yī yán wǒ yī yǔ dōu pāi qǐ le mǎ pì
能得到天下吗？”大臣们你一言我一语，都拍起了马屁。

hàn gāo zǔ yáo yáo tóu shuō qí shí chéng bài dé shī zài yú yòng rén shang
汉高祖摇摇头，说：“其实，成败得失在于用人上
a wǒ zhī dào zhì dìng jì huà móu suàn qiān lǐ zhī wài de shèng lì wǒ bǐ bù
啊。我知道，制订计划，谋算千里之外的胜利，我比不
shàng zhāng liáng zhì lǐ guó jiā ān fǔ bǎi xìng wǒ bǐ bù shàng xiāo hé tǒng shuài dà
上张良；治理国家，安抚百姓，我比不上萧何；统率大
jūn zuò zhàn wǒ bǐ bù shàng hán xìn dàn shì wǒ dǒng de rú hé zhòng yòng tā men
军作战，我比不上韩信。但是，我懂得如何重用他们，
suǒ yǐ wǒ qǔ dé le tiān xià yuán běn xiàng yǔ hái yǒu yī gè fàn zēng què bù zhī
所以，我取得了天下。原本项羽还有一个范增，却不知
dào zhòng yòng yīn cǐ cái bèi wǒ xiāo miè
道重用，因此才被我消灭。”

zhòng rén tīng le dōu hěn pèi fú hàn gāo zǔ de jiàn shi
众人听了，都很佩服汉高祖的见识。

jiàn guó chū qī hàn gāo zǔ wèi le
建国初期，汉高祖为了
jiǎng lì gōng chén gǒng gù zì jǐ de tǒng zhì fēng le bù shǎo zhū hóu wáng dàn jiàn jiàn
奖励功臣，巩固自己的统治，封了不少诸侯王。但渐渐
de yǒu xiē zhū hóu wáng xiǎng gē jù yī fāng bù zài tīng cóng cháo tíng de zhǐ huī qí
地，有些诸侯王想割据一方，不再听从朝廷的指挥。其
zhōng bāo kuò chǔ wáng hán xìn liáng wáng péng yuè hé huái nán wáng yīng bù hàn gāo zǔ pà
中包括楚王韩信、梁王彭越和淮南王英布。汉高祖怕
tā men yǒu móu fǎn zhī xīn yī zhí xiǎng zhǎo jī huì chú diào tā men
他们有谋反之心，一直想找机会除掉他们。

yī tiān yǒu rén bào gào hàn gāo zǔ shuō hán xìn shōu liú le xiàng yǔ de dà jiàng
一天，有人报告汉高祖，说韩信收留了项羽的大将
zhōng lí mèi hái shuō hán xìn xiǎng móu fǎn hàn gāo zǔ běn lái jiù dān xīn zhōng lí mèi
钟离眛，还说韩信想谋反。汉高祖本来就担心钟离眛
huì qián lái wèi xiàng yǔ bào chóu zhè xià zhēn shì yī jǔ liǎng dé jì kě yǐ shā le zhōng
会前来为项羽报仇，这下真是一举两得，既可以杀了钟
lí mèi yě yǒu le jiè kǒu duì fu hán xìn bù guò hán xìn shǒu xià bīng qiáng mǎ zhuàng
离眛，也有了借口对付韩信。不过，韩信手下兵强马壮，

hàn gāo zǔ bù gǎn mào rán chū bīng
汉高祖不敢贸然出兵。

yú shì hàn gāo zǔ jiǎ zhuāng dào chǔ dì xún shì ràng hán xìn qù bài jiàn tā
于是，汉高祖假装到楚地巡视，让韩信去拜见他。
hán xìn yī dào hàn gāo zǔ lì kè mìng lìng wǔ shì jiāng tā bǎng le qǐ lái hán xìn
韩信一到，汉高祖立刻命令武士将他绑了起来。韩信
fēi cháng qì fèn shuō gǔ rén shuō dāng dí guó bèi dǎ bài zhī hòu bāng máng chū móu
非常气愤，说：“古人说，当敌国被打败之后，帮忙出谋
huà cè de chén zǐ jiù huì bèi chǔ sǐ xiàn zài tiān xià yǐ jīng tài píng kàn lái huáng
划策的臣子就会被处死。现在天下已经太平，看来皇
shang shì bù xū yào wǒ le
上是不需要我了。”

yǒu rén quàn hàn gāo zǔ cóng kuān chǔ lǐ hǎo ān dìng rén xīn hàn gāo zǔ jué de
有人劝汉高祖从宽处理，好安定人心。汉高祖觉得
yǒu lǐ biàn zhǐ shì qǔ xiāo le hán xìn de wáng hào gǎi fēng wéi huái yīn hóu hán xìn
有理，便只是取消了韩信的王号，改封为淮阴侯。韩信
bèi jiàng zhí yǐ hòu xīn cún bù mǎn cháng cháng tuī shuō yǒu bìng bù qù cháo jiàn hàn gāo zǔ
被降职以后，心存不满，常常推说有病，不去朝见汉高祖。

hòu lái jiāng jūn chén xī zào fǎn hàn gāo zǔ mìng lìng huái yīn hóu hán xìn hé liáng
后来，将军陈豨造反，汉高祖命令淮阴侯韩信和梁
wáng péng yuè yī qǐ qián wǎng tǎo fá méi xiǎng dào liǎng rén tóng shí tuī shuō yǒu bìng bù
王彭越一起前往讨伐。没想到，两人同时推说有病，不
kěn chū bīng hàn gāo zǔ zhǐ hǎo zì jǐ lǐng bīng qián wǎng
肯出兵。汉高祖只好自己领兵前往。

hàn gāo zǔ dài bīng chū zhēng hòu yǒu rén xiàng lǚ hòu gào fā hán xìn hé chén
汉高祖带兵出征后，有人向吕后告发：“韩信和陈
xī shì tóng móu tā men hái xiǎng lǐ yìng wài hé fā dòng pàn luàn
豨是同谋，他们还想里应外合，发动叛乱。”

lǚ hòu gēn chéng xiàng xiāo hé shāng liang le yī gè jì cè gù yì chuán chū xiāo xi
吕后跟丞相萧何商量了一个计策，故意传出消息，

shuō chén xī yǐ jīng bèi hàn gāo zǔ zhuā dào yào dà chén men jìn gōng zhù hè hán xìn yī
说陈豨已经被汉高祖抓到，要大臣们进宫祝贺。韩信一
jìn gōng mén jiù bèi yù xiān mái fú hǎo de shì bīng shā le
进宫门，就被预先埋伏好的士兵杀了。

méi guò duō jiǔ liáng wáng péng yuè de shǒu xià gào fā péng yuè móu fǎn hàn gāo
没过多久，梁王彭越的手下告发彭越谋反。汉高
zǔ yuán běn bù xiǎng shā tā dǎ suàn bǎ tā biǎn wéi píng mín
祖原本不想杀他，打算把他贬为平民。

kě lǚ hòu què shuō nǐ zhè yàng zuò bù shì fàng hǔ guī shān liú xià hòu huàn
可吕后却说："你这样做不是放虎归山，留下后患
ma yú shì hàn gāo zǔ bǎ péng yuè yě shā le
吗？"于是，汉高祖把彭越也杀了。

huái nán wáng yīng bù bù xiǎng zuò yǐ dài bì gān cuì qǐ bīng zào fǎn tā duì bù
淮南王英布不想坐以待毙，干脆起兵造反。他对部
xià shuō bì xià yǐ jīng lǎo le dà jiàng zhōng zhǐ yǒu hán xìn péng yuè zuì yǒu néng nai
下说："陛下已经老了，大将中只有韩信、彭越最有能耐，
dàn tā men yě dōu sǐ le bié de jiāng jūn bù shì wǒ de duì shǒu méi shén me kě pà de
但他们也都死了，别的将军不是我的对手，没什么可怕的。"

yīng bù yī chū bīng jiē lián huò shèng
英布一出兵，接连获胜，
bǎ jīng chǔ yī dài de tǔ
把荆楚一带的土
dì dōu zhàn lǐng le
地都占领了。

hàn gāo zǔ wú kě nài hé zhǐ hǎo qīn zì fā bīng qù yìng zhàn tā zài zhèn qián
汉高祖无可奈何，只好亲自发兵去应战。他在阵前
mà yīng bù wǒ yǐ jīng fēng nǐ wéi wáng nǐ wèi hé hái yào móu fǎn
骂英布：“我已经封你为王，你为何还要谋反？”

yīng bù dà shēng huí dào yīn wèi wǒ yě xiǎng zuò huáng dì
英布大声回道：“因为我也想做皇帝。”

yú shì hàn gāo zǔ zhǐ huī dà jūn měng jī yīng bù yīng bù yě mìng lìng shì bīng
于是，汉高祖指挥大军猛击英布，英布也命令士兵
yī qí fàng jiàn jié guǒ hàn gāo zǔ xiōng kǒu zhòng le yī jiàn tā rěn zhù chuāng tòng
一齐放箭。结果，汉高祖胸口中了一箭。他忍住创痛，
jì xù jìn gōng hòu lái yīng bù dà bài táo zǒu zài bàn lù shang bèi rén shā le
继续进攻。后来，英布大败逃走，在半路上被人杀了。

hàn gāo zǔ píng dìng yīng bù hòu huí dào le dū chéng cháng ān yóu yú jiàn shāng
汉高祖平定英布后，回到了都城长安。由于箭伤
fù fā tā yī bìng bù qǐ ér qiě yuè lái yuè yán zhòng gōng yuán qián nián hàn
复发，他一病不起，而且越来越严重。公元前195年，汉
gāo zǔ bù zhì ér wáng
高祖不治而亡。

# 卫青、霍去病抗击匈奴

WEI QING HUO QU BING KANG JI XIONG NU

hàn wǔ dì shí qī chú le lǐ guǎng hái yǒu liǎng wèi kàng jī xiōng nú de míng jiàng
汉武帝时期，除了李广，还有两位抗击匈奴的名将，
tā men jiù shì wèi qīng hé huò qù bìng
他们就是卫青和霍去病。

wèi qīng chū shēn dī wēi yuán shì yī gè nú pú hòu lái yīn wèi jiě jie wèi zǐ
卫青出身低微，原是一个奴仆，后来因为姐姐卫子
fū jìn gōng shòu chǒng bèi lì wéi huáng hòu tā cái dé dào tí bá dāng shàng le guān
夫进宫受宠，被立为皇后，他才得到提拔，当上了官。

gōng yuán qián nián xiōng nú dà jǔ jìn fàn zhōng yuán biān jìng hàn wǔ dì pài
公元前129年，匈奴大举进犯中原边境。汉武帝派
chū sì lù bīng mǎ kàng jī xiōng nú qí zhōng yī zhī jūn duì de jiàng lǐng biàn shì shǒu cì chū
出四路兵马抗击匈奴，其中一支军队的将领便是首次出
zhēng de wèi qīng
征的卫青。

kàn dào xiōng nú lái shì xiōng měng hàn jūn jiàng shì dōu hěn dān xīn wèi qīng gǔ lì
看到匈奴来势凶猛，汉军将士都很担心。卫青鼓励
bù xià shuō xiōng nú jūn duì cháng tú bá shè ér lái kěn dìng rén kùn mǎ fá zhǐ yào
部下说："匈奴军队长途跋涉而来，肯定人困马乏，只要
wǒ men jìn lì yī bó yī dìng néng jī tuì tā men dà jiā tīng le dà shòu gǔ wǔ
我们尽力一搏，一定能击退他们。"大家听了大受鼓舞。

jié guǒ cǐ cì chū jī hàn jūn de sì lù rén mǎ zhǐ yǒu wèi qīng dài lǐng
结果，此次出击，汉军的四路人马，只有卫青带领

的军队深入匈奴腹地，大胜而归。汉武帝非常赞赏卫青的表现，封他为关内侯。

公元前127年，匈奴大军再度南犯。卫青奉命率军进攻被匈奴控制的河套地区。河套地区地势险要，易守难攻。卫青带领四万大军，绕到匈奴军队的后方，迅速攻占了战略要地，切断了驻守河套地区的匈奴大军与单于王庭之间的联系。接着，卫青又率兵包围了匈奴军队。匈奴兵仓皇逃跑，数千人被汉军活捉。就这样，汉军收复了河套地区，彻底解除了匈奴对都城长安的威胁。

公元前123年，匈奴又一次侵犯中原，汉武帝派卫青率兵抗击。卫青有个外甥叫霍去病，当时才十八岁，但很有能耐，志气也高。他认为这是一个立功报国的好机会，便毅然向汉武帝请求随军出征。

汉武帝很喜欢霍去病，便答应了他的请求，封他为骠姚校尉，让他带领八百名精锐骑兵跟着卫青一起出征。

霍去病虽然年轻，却勇敢无畏，具有超凡的军事才能。他趁着双方厮杀之际，带领手下以迅雷不及掩耳之势攻入匈奴的大本营，杀了匈奴单于的叔祖父，活捉了匈奴的相国和单于的叔叔，还斩杀了几千个匈奴兵。

看到年轻的霍去病第一次出征就立了大功，汉武帝非常高兴，下令封他为冠军侯。

公元前119年，一万多个匈奴骑兵从东边来犯，杀了一千多名当地百姓，还抢走了大量的粮食和财物。汉武帝大怒，派卫青和霍去病率军五万，分两路追击匈奴。

卫青带领大军一路北上，匈奴节节败退。汉军一直

zhuī le liǎng bǎi duō lǐ dì suī rán méi yǒu zhuō zhù chán yú dàn shì zhǎn shā le xiōng nú
追了两百多里地，虽然没有捉住单于，但是斩杀了匈奴
bīng yī wàn jiǔ qiān duō rén yǔ cǐ tóng shí huò qù bìng suǒ dài de jūn duì cóng lìng yī
兵一万九千多人。与此同时，霍去病所带的军队从另一
gè fāng xiàng gōng dǎ xiōng nú jiē lián huò shèng bǎ xiōng nú dǎ de kuì bù chéng jūn zuì
个方向攻打匈奴，接连获胜，把匈奴打得溃不成军。最
hòu hàn jūn huó zhuō le chán yú shǒu xià de sān gè wáng hái yǒu jiāng jūn xiàng guó jūn
后，汉军活捉了单于手下的三个王，还有将军、相国、军
guān děng bā shí sān rén xiāo miè le xiōng nú bīng bā jiǔ wàn rén
官等八十三人，消灭了匈奴兵八九万人。

wèi qīng hé huò qù bìng de zhè cì chū zhēng wǎ jiě le xiōng nú dà jūn de zhǔ
卫青和霍去病的这次出征，瓦解了匈奴大军的主
lì xiōng nú yuán qì dà shāng zài suí hòu de hěn cháng yī duàn shí jiān dōu bù gǎn qīn
力。匈奴元气大伤，在随后的很长一段时间都不敢侵
fàn zhōng yuán
犯中原。

# 张骞出使西域

ZHANG QIAN CHU SHI XI YU

hàn wǔ dì gāng jí wèi shí pài le yī gè jiào zhāng qiān de rén chū shǐ xī yù
汉武帝刚即位时，派了一个叫张骞的人出使西域
de yuè zhī guó xī wàng liǎng gè guó jiā néng jié chéng tóng méng gòng tóng duì fu xiōng nú
的月氏国，希望两个国家能结成同盟，共同对付匈奴。

yuè zhī guó wèi yú xiōng nú de xī bian yào xiǎng dào dá yuè zhī jiù bì xū jīng
月氏国位于匈奴的西边，要想到达月氏，就必须经
guò xiōng nú suǒ zhàn lǐng de dì jiè zhāng qiān děng rén suī rán xiǎo xīn jǐn shèn kě zuì
过匈奴所占领的地界。张骞等人虽然小心谨慎，可最
zhōng hái shi bèi xiōng nú rén fā xiàn le yī xíng rén quán dōu zuò le xiōng nú de fú lǔ
终还是被匈奴人发现了，一行人全都做了匈奴的俘虏。

bù guò xiōng nú rén bìng méi yǒu dà kāi shā jiè ér shì jiāng tā men fēn sàn kāi
不过，匈奴人并没有大开杀戒，而是将他们分散开
lái kān guǎn hái pài rén lái quàn shuō tā men guī xiáng dàn zhāng qiān yì zhì jiān jué shì
来看管，还派人来劝说他们归降。但张骞意志坚决，誓
sǐ bù xiáng měi cì lái quàn xiáng de rén dōu bèi tā tòng mà le huí qù
死不降，每次来劝降的人都被他痛骂了回去。

zhāng qiān děng rén zài xiōng nú yī dāi jiù shì shí duō nián rì zi jiǔ le xiōng
张骞等人在匈奴一待就是十多年。日子久了，匈
nú rén jiàn jiàn fàng sōng le duì tā men de jiān shì yǒu yī tiān zhāng qiān hé suí xíng de
奴人渐渐放松了对他们的监视。有一天，张骞和随行的
rén chèn xiōng nú bīng bù bèi qí shàng liǎng pǐ kuài mǎ táo zǒu le tā men yī zhí xiàng
人趁匈奴兵不备，骑上两匹快马逃走了。他们一直向

xī pǎo shí jǐ tiān hòu zhōng yú táo chū le xiōng nú
西跑，十几天后终于逃出了匈奴
dì jiè dàn tā men bìng méi yǒu zhǎo dào yuè zhī guó ér shì chuǎng
地界。但他们并没有找到月氏国，而是闯
jìn le yī gè jiào dà wǎn zài jīn zhōng yà fèi ěr gān nà pén dì de guó jiā
进了一个叫大宛(在今中亚费尔干纳盆地)的国家。

dà wǎn guó wáng zǎo jiù tīng shuō hàn cháo shì gè fù ráo qiáng shèng de dà guó hěn
大宛国王早就听说汉朝是个富饶强盛的大国，很
rè qíng de zhāo dài le zhāng qiān tā men hái pài rén hù sòng tā men dào le yuè zhī guó
热情地招待了张骞他们，还派人护送他们到了月氏国。

zhāng qiān xiàng yuè zhī guó wáng chuán dá le hàn wǔ dì xī wàng liǎng guó jiāo hǎo gòng
张骞向月氏国王传达了汉武帝希望两国交好，共
tóng gōng dǎ xiōng nú de yì yuàn yuè zhī guó céng bèi xiōng nú dǎ bài guo hòu lái jīng guò
同攻打匈奴的意愿。月氏国曾被匈奴打败过，后来经过
qiān yí cái jiàn lì le xiàn zài de guó jiā wèi le bù ràng guó mín zài shòu zhàn zhēng
迁移，才建立了现在的国家。为了不让国民再受战争
zhī kǔ yuè zhī guó wáng zǎo yǐ dǎ xiāo le bào fù de niàn tou yīn cǐ tā lǐ mào
之苦，月氏国王早已打消了报复的念头。因此，他礼貌
de zhāo dài le zhāng qiān bìng wěi wǎn de jù jué le gòng tóng kàng jī xiōng nú de qǐng qiú
地招待了张骞，并委婉地拒绝了共同抗击匈奴的请求。

张骞在月氏住了一年多，仍然没能说服月氏国王，只好启程回国。当他们经过匈奴地界时，不幸又被抓住了。好在被扣押了一段时间后，匈奴发生内乱，他们趁机逃了出来，回到长安。

张骞此次出使西域一共十三年，一路上历尽艰辛。汉武帝感念他的辛劳，封他做了一个高官。

后来，卫青和霍去病消灭了匈奴军队的主力，逼得匈奴向北逃窜。西域一带的许多国家看到匈奴失势，都不愿意再向匈奴进贡。汉武帝趁机再派张骞出使西域。

这次出使，张骞率领了三百名勇士，并带着大批牛羊、黄金、绸缎、布帛等礼物。张骞最先到达了乌孙国。乌孙王有心和汉朝交好，又不敢得罪匈奴，因此迟迟决定不下来。张骞为了尽早完成使命，就吩咐随从们带着礼物，分别去联络大宛、大夏和安息等国。过了好些日子，乌孙王见张骞派出去的那些随从还没回来，便派

le jǐ shí gè rén hù sòng zhāng qiān xiān huí cháng ān shùn dài hái sòng le jǐ shí pǐ gāo
了几十个人护送张骞先回长安，顺带还送了几十匹高
tóu dà mǎ gěi hàn cháo zuò lǐ wù
头大马给汉朝做礼物。

yī nián hòu zhāng qiān yīn bìng qù shì tā pài dào xī yù gè guó de suí cóng
一年后，张骞因病去世。他派到西域各国的随从
men yě lù xù huí dào le cháng ān zhè xiē rén zǒng gòng dào guo sān shí liù gè guó jiā
们也陆续回到了长安，这些人总共到过三十六个国家。

zì cǐ hàn wǔ dì měi nián dōu pài shǐ jié fǎng wèn xī yù gè guó hé tā men
自此，汉武帝每年都派使节访问西域各国，和他们
jiàn lì le yǒu hǎo guān xì xī yù pài lái de shǐ jié hé shāng rén yě yuè lái yuè duō
建立了友好关系。西域派来的使节和商人也越来越多。
jiàn jiàn de zhōng guó hé xī yù nǎi zhì ōu zhōu zhī jiān xíng chéng le yī tiáo shāng lù tōng
渐渐地，中国和西域乃至欧洲之间形成了一条商路。通
guò zhè tiáo shāng lù zhōng guó de sī chóu děng shāng pǐn jīng guò xī yù yùn dào xī yà zài
过这条商路，中国的丝绸等商品经过西域运到西亚，再
yùn dào ōu zhōu zhè tiáo shāng lù jiù shì hòu rén suǒ shuō de sī chóu zhī lù
运到欧洲。这条商路就是后人所说的“丝绸之路”。

# 苏武牧羊

SU WU MU YANG

汉武帝晚年，匈奴单于派人向汉朝进贡礼物，想与汉朝交好。为了答谢匈奴单于，汉武帝派中郎将苏武出使匈奴，回赠礼物。于是，苏武手持旌节，带着一百多人组成的出使团，庄严地出发了。

苏武一行人到达匈奴后，送上礼物，顺利地完成了使命。就在他们准备回国的时候，匈奴内部发生了一场叛乱，结果苏武受到牵连，被匈奴人捉了起来。

单于开出了丰厚的条件，诱惑苏武投降。苏武义正词严地拒绝了。单于大怒，命人把苏武关在地窖里，不给他东西吃，也不给他水喝，想用这种办法逼他屈服。

当时正值冬天，外面下着鹅毛大雪。苏武忍饥挨

è kě le jiù pěng yī bǎ xuě jiě kě è le jiù kěn pí dài yáng pí chōng
饿：渴了，就捧一把雪解渴；饿了，就啃皮带、羊皮充
jī guò le jǐ tiān tā jū rán hái huó zhe
饥。过了几天，他居然还活着。

chán yú jiàn zhé mó sū wǔ méi yòng jiù bǎ tā pài dào huāng wú rén yān de běi
单于见折磨苏武没用，就把他派到荒无人烟的北
hǎi mù yáng hái shuō děng zhè xiē gōng yáng shēng chū le xiǎo yáng wǒ jiù fàng nǐ huí qù
海牧羊，还说："等这些公羊生出了小羊，我就放你回去。"

gōng yáng zěn me kě néng shēng chū xiǎo yáng ne chán yú bù guò shì xiǎng bǎ sū wǔ
公羊怎么可能生出小羊呢？单于不过是想把苏武
cháng qī jū jìn zài nà lǐ bà le
长期拘禁在那里罢了。

běi hǎi tiān qì hán lěng sū wǔ méi yǒu chī de zhǐ hǎo wā xiē yě cài yě
北海天气寒冷，苏武没有吃的，只好挖些野菜、野
cǎo chōng jī tā gū shēn yī rén zhǐ yǒu dài biǎo cháo tíng de jīng jié yǔ tā zuò bàn
草充饥。他孤身一人，只有代表朝廷的旌节与他做伴。
sū wǔ měi tiān dōu huì shǒu fǔ jīng jié qī wàng zhe yǒu yī tiān néng gòu dài zhe tā huí dào
苏武每天都会手抚旌节，期望着有一天能够带着它回到

gù tǔ zài cì miàn jiàn hàn wǔ dì
故土，再次面见汉武帝。

yī nián yòu yī nián guò qù le sū wǔ de qī pàn yī zài luò kōng jīng jié shang de suì zi yě jiàn jiàn diào guāng le dàn sū wǔ hái shi jiāng tā shì wéi zhēn bǎo
一年又一年过去了，苏武的期盼一再落空。旌节上的穗子也渐渐掉光了，但苏武还是将它视为珍宝。

gōng yuán qián nián xiōng nú de chán yú sǐ le xiōng nú zài cì fā shēng nèi luàn fēn chéng le sān gè guó jiā xīn jí wèi de chán yú lì liàng dān bó jué dìng yǔ dà hàn jiāo hǎo zhè shí hàn wǔ dì yǐ jīng qù shì tā de ér zi hàn zhāo dì jí wèi hàn zhāo dì pài shǐ zhě dào xiōng nú qù yào chán yú fàng huí sū wǔ xiōng nú què huǎng chēng sū wǔ yǐ jīng sǐ le
公元前85年，匈奴的单于死了，匈奴再次发生内乱，分成了三个国家。新即位的单于力量单薄，决定与大汉交好。这时汉武帝已经去世，他的儿子汉昭帝即位。汉昭帝派使者到匈奴去，要单于放回苏武，匈奴却谎称苏武已经死了。

hòu lái hàn cháo cháo tíng yòu pài shǐ zhě dào xiōng nú qù péi tóng sū wǔ yī qǐ chū shǐ de yī wèi suí cóng yě hái zài xiōng nú suí cóng mǎi tōng xiōng nú rén sī xià hé shǐ zhě jiàn miàn bǎ sū wǔ zài běi hǎi mù yáng de shí qíng gào su le tā
后来，汉朝朝廷又派使者到匈奴去，陪同苏武一起出使的一位随从也还在匈奴。随从买通匈奴人，私下和使者见面，把苏武在北海牧羊的实情告诉了他。

suí hòu shǐ zhě qù jiàn chán yú zé wèn dào xiōng nú jì rán chéng xīn tóng wǒ men dà hàn hé hǎo jiù bù yīng gāi qī piàn wǒ men wǒ men de huáng shang zài yù huā yuán shè xià yī zhī dà yàn yàn jiǎo shang shuān zhe yī tiáo chóu zi shàng miàn xiě zhe sū wǔ hái huó zhe jiù zài běi hǎi mù yáng nín zěn me néng shuō tā sǐ le
随后，使者去见单于，责问道：“匈奴既然诚心同我们大汉和好，就不应该欺骗我们。我们的皇上在御花园射下一只大雁，雁脚上拴着一条绸子，上面写着‘苏武还活着，就在北海牧羊。’您怎么能说他死了？”

chán yú xià le yī dà tiào zhēn de yǐ wéi shì sū wǔ de zhōng yì gǎn dòng le
单于吓了一大跳，真的以为是苏武的忠义感动了
dà yàn lián lián dào qiàn bìng bǎ sū wǔ fàng le huí qù
大雁，连连道歉，并把苏武放了回去。

zhì cǐ sū wǔ zhōng yú jié shù le cháng dá shí jiǔ nián de qī cǎn shēng huó huí
至此，苏武终于结束了长达十九年的凄惨生活，回
dào le hàn dū cháng ān cháng ān de bǎi xìng tīng shuō sū wǔ de shì jì hòu fēn fēn
到了汉都长安。长安的百姓听说苏武的事迹后，纷纷
yōng shàng jiē tóu yíng jiē tā dāng kàn dào hú xū tóu fa quán bái shǒu chí jīng jié de
拥上街头迎接他。当看到胡须、头发全白，手持旌节的
sū wǔ jiān dìng de zǒu jìn chéng lái bǎi xìng men dōu fēi cháng gǎn dòng kuā tā shì gè yǒu
苏武坚定地走进城来，百姓们都非常感动，夸他是个有
qì jié de dà zhàng fu
气节的大丈夫。

# 司马迁忍辱著《史记》

SI MA QIAN REN RU ZHU SHI JI

司马迁是西汉杰出的历史学家，他的父亲司马谈是汉朝掌管修史的官员。司马迁从小受父亲的影响，博学多识，对历史有着浓厚的兴趣。

司马谈一直想编写一部史书，记载从黄帝到汉武帝时期的历史，但由于工作量无比巨大，他的年纪又大了，身体也不是很好，因此完成不了这项工程。

临终之际，他泪流满面地拉着司马迁的手说：“我死之后，朝廷如果让你继任我的官职，你千万不要忘记我一生的愿望，完成那部史书啊！”

后来，司马迁真的接任了父亲的官职，做了太史令。他铭记父亲的遗言，一刻也不放松。他不仅在业余时间阅读大量书籍，还四处游历考察，搜集民间传说和历史人物故事。

就在司马迁做好各种准备，打算着手写作这部历史巨著的时候，朝廷里发生了一件大事。这件事彻底改变了司马迁的命运。

公元前99年，汉武帝派李广的孙子李陵带着五千兵马与匈奴作战。匈奴单于亲自率领三万骑兵把汉军团团围住。尽管将士们拼死抵抗，最终还是因为粮草短缺、寡不敌众而突围失败。无奈之下，李陵和剩余的十几个士兵只好诈降。

李陵投降的消息震惊了朝廷。大臣们都谴责李陵贪生怕死，更有小人趁机在汉武帝面前诋毁李陵。汉武帝龙颜大怒，要把李家上下几十口人全部斩首。

司马迁生性正直，向汉武帝进言说：“陛下，以我对李陵的了解，他并非是贪生怕死之人。他投降匈奴，恐

怕是在找机会将功赎罪哪！”

汉武帝听了司马迁的话勃然大怒，他认为司马迁和李陵有私交，才出言维护，就说：“你这样替李陵辩解，是不是存心想反对朝廷？”他命人把司马迁关进大牢，还判了他宫刑。

宫刑是一种残害身体又侮辱人格的刑罚，有骨气的人宁可死去，也不愿意接受。司马迁也想过死，可一想起父亲的遗愿还没有完成，自己辛辛苦苦搜集的资料还没有编辑成书，多年的心血将要付诸东流，他太不甘心了。就这样，司马迁忍受着巨大的耻辱接受了宫刑，活了下来。

此后，司马迁忍受着来自各方的异样目光，把全部的精力投入到写书上。经过了十几年的艰苦努力，公元前91年，司马迁终于完成了我国古代最伟大的历史著作——《史记》。《史记》规模宏大，体系完备，对此后的纪传体史书影响很深，同时，书中文字的生动性、叙事的形象性也是古代史书中成就最高的。

# 昭君出塞

ZHAO JUN CHU SAI

xī hàn zhōng hòu qī xiōng nú nèi bù yóu yú zhēng quán duó lì fēn liè chéng le wǔ
西汉中后期，匈奴内部由于争权夺利，分裂成了五
dà bù luò měi gè bù luò dōu yōng lì le gè zì de chán yú wèi le lì yì tā
大部落。每个部落都拥立了各自的单于，为了利益，他
men zhī jiān hùn zhàn bù duàn
们之间混战不断。

wǔ gè chán yú zhōng yǒu yī gè jiào hū hán yé de zhǔ dòng yǔ hàn cháo jiāo hǎo
五个单于中有一个叫呼韩邪的，主动与汉朝交好，
hái qīn zì dài lǐng bù xià lái bài jiàn hàn xuān dì hàn xuān dì gé wài zhòng shì qīn zì
还亲自带领部下来拜见汉宣帝。汉宣帝格外重视，亲自
dào cháng ān jiāo wài yíng jiē tā yòng zhāo dài guì bīn de guī gé zhāo dài tā hái zèng sòng
到长安郊外迎接他，用招待贵宾的规格招待他，还赠送
gěi tā sān wàn sì qiān hú liáng shi jiě jué tā men quē shǎo liáng shi de nán tí
给他三万四千斛粮食，解决他们缺少粮食的难题。

hàn xuān dì sǐ hòu hàn yuán dì jí wèi yóu yú xiōng nú de zhì zhī chán yú qīn
汉宣帝死后，汉元帝即位。由于匈奴的郅支单于侵
fàn xī yù gè guó hái shā le hàn cháo pài qù de shǐ zhě hàn cháo biàn pài bīng dǎ bài
犯西域各国，还杀了汉朝派去的使者，汉朝便派兵打败
le zhì zhī chán yú zhè yàng yī lái hū hán yé chán yú zài xiōng nú zhōng de lǐng dǎo dì
了郅支单于。这样一来，呼韩邪单于在匈奴中的领导地
wèi gèng jiā wěn gù le
位更加稳固了。

gōng yuán qián nián hū hán yé chán yú zài yī cì dào cháng ān yāo qiú tóng hàn
公元前33年，呼韩邪单于再一次到长安，要求同汉
cháo hé qīn hàn yuán dì xiǎng dào tōng guò hé qīn kě yǐ shǐ xiōng nú bù zài qīn fàn hàn
朝和亲。汉元帝想到通过和亲可以使匈奴不再侵犯汉
cháo biān jìng cóng ér shǐ biān jìng bǎi xìng bù zài zāo shòu shāo shā qiǎng lüè zhī kǔ biàn xīn
朝边境，从而使边境百姓不再遭受烧杀抢掠之苦，便欣
rán tóng yì le zhè ge tí yì wèi cǐ hàn yuán dì jué dìng zài hòu gōng zhōng tiāo xuǎn
然同意了这个提议。为此，汉元帝决定在后宫中挑选
yī míng gōng nǚ jià gěi hū hán yé
一名宫女嫁给呼韩邪。

hàn yuán dì pài rén dào gōng li chuán huà shéi yuàn yì jià dào xiōng nú qù huáng
汉元帝派人到宫里传话：“谁愿意嫁到匈奴去，皇
shang jiù bǎ tā dàng zuò gōng zhǔ yī yàng kàn dài
上就把她当作公主一样看待。”

zài huáng gōng li de gōng nǚ jiù xiàng bèi guān zài lóng zi li de niǎor yī yàng
在皇宫里的宫女，就像被关在笼子里的鸟儿一样，
dōu bā wàng zhe yǒu yī tiān néng dào gōng wài qù dàn yī tīng shuō yào bèi jǐng lí xiāng dào
都巴望着有一天能到宫外去。但一听说要背井离乡，到
huāng liáng yáo yuǎn de xiōng nú qù yòu dōu tuì suō le
荒凉遥远的匈奴去，又都退缩了。

yǒu gè jiào wáng zhāo jūn de gōng nǚ tā bù jǐn zhǎng de měi lì fēi fán ér qiě
有个叫王昭君的宫女，她不仅长得美丽非凡，而且
jiàn shi guò rén tā xīn xiǎng yǔ qí zhè yàng lǎo sǐ gōng zhōng hái bù rú jià dào xiōng
见识过人。她心想：与其这样老死宫中，还不如嫁到匈
nú qù zhè yàng yī lái bù jǐn néng chū qù jiàn jiàn shì miàn hái néng wèi liǎng guó
奴去。这样一来，不仅能出去见见世面，还能为两国
de hé píng chū yī fēn lì
的和平出一分力。

yú shì tā zhǎo dào guǎn shì de dà chén shuō wǒ yuàn yì jià dào xiōng nú
于是，她找到管事的大臣，说：“我愿意嫁到匈奴

qù qǐng nín qù huí bǐng bì xià ba
去，请您去回禀陛下吧。”

guǎn shì de dà chén zhèng zài wèi méi rén yìng zhēng jiāo jí tīng dào wáng zhāo jūn kěn
管事的大臣正在为没人应征焦急，听到王昭君肯
qù lì kè bǎ tā de míng zi shàng bào hàn yuán dì hàn yuán dì hěn gāo xìng lì jí
去，立刻把她的名字上报汉元帝。汉元帝很高兴，立即
xià zhǐ yīng yǔn le hái fēn fù rén zhǔn bèi fēng hòu de jià zhuang tiāo xuǎn yī gè liáng chén
下旨应允了，还吩咐人准备丰厚的嫁妆，挑选一个良辰
jí rì ràng hū hán yé chán yú hé wáng zhāo jūn zài cháng ān chéng qīn
吉日，让呼韩邪单于和王昭君在长安成亲。

hū hán yé chán yú jiàn wáng zhāo jūn nián qīng mào měi huān xǐ de bù dé liǎo
呼韩邪单于见王昭君年轻貌美，欢喜得不得了。
chéng qīn zhī hòu wáng zhāo jūn zài hàn cháo hé xiōng nú guān yuán de hù sòng xià dài
成亲之后，王昭君在汉朝和匈奴官员的护送下，带

zhe fēng hòu de jià zhuang lí kāi le cháng ān
着丰厚的嫁妆，离开了长安。

tā mào zhe sài wài cì gǔ de hán fēng yī lù fān shān yuè lǐng lì jìn jiān xīn zhōng
她冒着塞外刺骨的寒风，一路翻山越岭，历尽艰辛，终
yú lái dào le xiōng nú
于来到了匈奴。

xiōng nú de qì hòu yǔ zhōng yuán xiāng chà hěn dà xiōng nú rén de shēng huó xí guàn
匈奴的气候与中原相差很大，匈奴人的生活习惯
yě yǔ hàn rén dà bù xiāng tóng wáng zhāo jūn gāng dào xiōng nú de shí hou fēi cháng bù
也与汉人大不相同。王昭君刚到匈奴的时候，非常不
shì yìng ér qiě xīn zhōng guà niàn qīn rén gèng jué nán shòu bù guò tā hěn kuài jiù
适应，而且心中挂念亲人，更觉难受。不过，她很快就
dǎ qǐ jīng shen lái nǔ lì róng rù xiōng nú rén de shēng huó shí jiān yī cháng tā yě
打起精神来，努力融入匈奴人的生活。时间一长，她也
jiù màn màn xí guàn le
就慢慢习惯了。

suī rán yuǎn zài tā xiāng dàn wáng zhāo jūn bìng méi yǒu xū dù zì jǐ
虽然远在他乡，但王昭君并没有虚度自己

de rén shēng tā bǎ zhōng yuán xiān jìn de wén huà hé jì shù dài dào le
的人生。她把中原先进的文化和技术带到了

xiōng nú jiāo xiōng nú rén cóng shì nóng yè shēng chǎn fā zhǎn xù mù yè cóng ér
匈奴，教匈奴人从事农业生产，发展畜牧业，从而

gǎi shàn le xiōng nú rén de shēng huó cǐ wài tā hái jīng cháng guī quàn hū hán yé chán yú
改善了匈奴人的生活。此外，她还经常规劝呼韩邪单于

shǎo qǐ zhàn shì lì zhēng hé píng
少起战事，力争和平。

zì cóng wáng zhāo jūn jià dào xiōng nú yǐ hòu xiōng nú yǔ hàn cháo hé mù xiāng chǔ
自从王昭君嫁到匈奴以后，匈奴与汉朝和睦相处

le hěn duō nián méi yǒu fā shēng zhàn zhēng yīn wèi wáng zhāo jūn gěi xiōng nú rén dài lái le
了很多年没有发生战争。因为王昭君给匈奴人带来了

wén míng yǔ hé píng suǒ yǐ xiōng nú rén dōu xǐ huan tā zūn jìng tā
文明与和平，所以匈奴人都喜欢她、尊敬她。

wáng zhāo jūn sǐ hòu bèi mái zàng zài xiōng nú jìng nèi de dà qīng shān dāng dì
王昭君死后，被埋葬在匈奴境内的大青山。当地

rén mín wèi tā xiū le fén mù hái bǎ tā fèng wéi shén xiān ne
人民为她修了坟墓，还把她奉为神仙呢。

# 班超投笔从戎

BAN CHAO TOU BI CONG RONG

东汉时期，有一个著名的史学家族——班氏一族。班超就是班氏家族的一员。班超的父亲班彪、哥哥班固、妹妹班昭都是有名的史学家。在家庭氛围的熏陶下，班超博览群书，积累了丰富的知识。可是，他不愿只做书生，立志要驰骋沙场，平定战乱，杀敌立功。

当时，匈奴军队常常侵扰东汉边境，烧杀抢掠，搅得边境百姓不得安宁。班超得知后，气得扔掉笔，说："大丈夫应当像张骞那样到塞外去立功，怎么能老死在书房里呢？"从此，他下定决心要去从军。

公元73年，汉明帝想联络西域各国共同对抗匈奴，便任命使者出使西域。一心想要为国效力的班超光荣

de jiē shòu le zhè xiàng rèn wu bān chāo shàng rèn hòu
地接受了这项任务。班超上任后，

dài zhe sān shí liù míng suí cóng lái dào le xī yù de shàn shàn dāng shí suī rán shàn shàn
带着三十六名随从来到了西域的鄯善。当时，虽然鄯善

wáng yǐ guī shùn xiōng nú dàn shì duì xiōng nú de suǒ qiú wú dù hěn bù mǎn kàn dào hàn
王已归顺匈奴，但是对匈奴的索求无度很不满，看到汉

cháo de shǐ zhě lái le fēi cháng rè qíng de jiē dài le tā men
朝的使者来了，非常热情地接待了他们。

kě shì méi guò jǐ tiān shàn shàn wáng de tài dù tū rán biàn de lěng dàn qǐ lái
可是没过几天，鄯善王的态度突然变得冷淡起来。

bān chāo cāi dào le qí zhōng de yuán yīn duì suí cóng men shuō shàn shàn wáng tài dù dà
班超猜到了其中的原因，对随从们说：“鄯善王态度大

biàn bì dìng shì xiōng nú de shǐ zhě dào le zhè lǐ
变，必定是匈奴的使者到了这里。”

wèi le yàn zhèng zì jǐ de cāi xiǎng dāng shàn shàn wáng de pú rén sòng jiǔ shí lái
为了验证自己的猜想，当鄯善王的仆人送酒食来

shí bān chāo zhuāng zuò yī fù quán dōu zhī dào
时，班超装作一副全都知道
de yàng zi shuō xiōng nú de shǐ zhě lái zhè lǐ jǐ tiān le zhù zài shén me dì fang
的样子，说："匈奴的使者来这里几天了？住在什么地方？"

pú rén yǐ wéi bān chāo yǐ jīng zhī dào nèi qíng zhǐ hǎo lǎo shi de huí dá lái
仆人以为班超已经知道内情，只好老实地回答："来
le sān tiān le jiù zhù zài lí zhèr sān shí lǐ yuǎn de dì fang
了三天了，就住在离这儿三十里远的地方。"

bān chāo bǎ pú rén kòu liú le qǐ lái duì suí cóng men shuō dà jiā gēn wǒ
班超把仆人扣留了起来，对随从们说："大家跟我
dào xī yù lái wú fēi shì xiǎng lì gōng bào guó rú jīn xiōng nú shǐ zhě lái le wàn
到西域来，无非是想立功报国。如今匈奴使者来了，万
yī shàn shàn wáng bǎ wǒ men zhuā qǐ lái sòng gěi xiōng nú rén nà jiù zāo le rú jīn
一鄯善王把我们抓起来送给匈奴人，那就糟了。如今
zhǐ yǒu chèn zhe hēi yè dào xiōng nú zhù de zhàng peng bǎ xiōng nú shǐ zhě shā le shàn shàn
只有趁着黑夜，到匈奴住的帐篷把匈奴使者杀了，鄯善

国才会与我们大汉交好。”随从们都表示赞同。

到了半夜，班超和随从们悄悄潜到匈奴使者的帐篷外。他们一边放火，一边擂鼓呐喊。匈奴人从梦里惊醒，以为来了很多敌人，吓得到处乱窜。班超一行人趁乱把匈奴使者和三十多个随从全杀了。

鄯善王听闻此事，赶紧表示愿意归顺汉朝，从此不再与匈奴来往。

公元75年，汉章帝继位。汉章帝命班超继续留在西域，防止西域各国和匈奴联合起来对付汉朝。

后来，班超凭着高超的外交手段和过人的智慧，使于阗归附汉朝。鄯善、于阗是西域的主要国家，龟兹、疏勒等西域小国见了，也纷纷与汉朝交好。

班超在西域生活了三十一年，为东汉的边境和平贡献了毕生的精力，深得朝廷的信任。西域各国的百姓也非常尊敬、爱戴他。

# 黄巾起义

HUANG JIN QI YI

dōng hàn mò nián hàn líng dì hūn yōng wú néng yī qún huàn guān zhǎng wò zhe guó jiā
东汉末年，汉灵帝昏庸无能，一群宦官掌握着国家
dà quán wèi le sōu guā qián cái huàn guān men jiā zhòng fù shuì hái gōng rán mǎi mài guān
大权。为了搜刮钱财，宦官们加重赋税，还公然买卖官
zhí nòng de cháo tíng nèi wài yī piàn wū yān zhàng qì zài jiā shàng dì zhǔ háo qiáng de
职，弄得朝廷内外一片乌烟瘴气。再加上地主豪强的
yā pò yǐ jí jiē èr lián sān de tiān zāi bǎi xìng men zǒu tóu wú lù yú shì fēn
压迫，以及接二连三的天灾，百姓们走投无路，于是纷
fēn qǐ lái fǎn kàng
纷起来反抗。

jù lù xiàn jīn hé běi píng xiāng xī nán yǒu sān xiōng dì lǎo dà zhāng jiǎo lǎo
巨鹿县（今河北平乡西南）有三兄弟，老大张角，老
èr zhāng bǎo lǎo sān zhāng liáng tā men jiàn cháo tíng fǔ bài jiù lì zhì yào tuī fān hàn
二张宝，老三张梁。他们见朝廷腐败，就立志要推翻汉
cháo de tǒng zhì chuàng lì yī gè tài píng shì jiè ràng bǎi xìng guò shàng ān dìng de shēng huó
朝的统治，创立一个太平世界，让百姓过上安定的生活。

zhāng jiǎo dǒng de yī shù gěi qióng rén zhì bìng cóng lái bù shōu qián suǒ yǐ qióng
张角懂得医术，给穷人治病，从来不收钱，所以穷
rén dōu yōng hù tā wèi le jí zhōng lì liàng zhāng jiǎo chuàng lì le yī gè jiào tài píng
人都拥护他。为了集中力量，张角创立了一个叫太平
dào de pài bié lián luò jù jí bǎi xìng
道的派别，联络、聚集百姓。

接着，张角派人周游各地，通过一面给百姓治病，一面传道的方式，将太平道传播开来。大约用了十年的工夫，太平道传遍全国，信徒发展到几十万人。

各地的官员以为太平道只是劝人为善、给人治病的派别，谁也没有认真过问。不久，朝廷里有一两个大臣看出苗头，奏请汉灵帝下令禁止太平道。但汉灵帝正忙着建造他的林园，完全没把这当一回事。

后来，张角见时机成熟，就暗地里把全国几十万信

tú zǔ zhī qǐ lái fēn wéi sān shí liù fāng měi fāng tuī jǔ yī gè shǒu lǐng yóu zhāng
徒组织起来，分为三十六方，每方推举一个首领，由张
jiǎo tǒng yī zhǐ huī
角统一指挥。

tā men mì mì yuē dìng zài jiǎ zǐ nián gōng yuán nián sān yuè chū wǔ
他们秘密约定在“甲子”年（公元184年）三月初五
qǐ yì kǒu hào shì cāng tiān yǐ sǐ huáng tiān dāng lì suì zài jiǎ zǐ tiān xià dà jí
起义，口号是“苍天已死，黄天当立；岁在甲子，天下大吉”。

kě shì jiù zài qǐ yì qián de yī gè yuè qǐ yì jūn nèi bù chū le pàn tú
可是，就在起义前的一个月，起义军内部出了叛徒，
tā xiàng cháo tíng gào le mì yī qiān duō rén yīn wèi yǔ tài píng dào yǒu lián xì ér bèi
他向朝廷告了密。一千多人因为与太平道有联系而被
guān fǔ sōu bǔ shā hài
官府搜捕杀害。

miàn duì tū rán de xíng shì zhāng jiǎo dāng jī lì duàn jué dìng tí qián qǐ yì
面对突然的形势，张角当机立断，决定提前起义。
yóu yú qǐ yì jūn de tóu shang dōu guǒ zhe huáng jīn zuò wéi biāo zhì yīn cǐ zhè cì qǐ
由于起义军的头上都裹着黄巾作为标志，因此，这次起
yì bèi chēng wéi huáng jīn qǐ yì
义被称为“黄巾起义”。

huáng jīn jūn kāi shǐ gōng dǎ jùn xiàn huǒ shāo guān fǔ kāi cāng fàng liáng chéng bàn
黄巾军开始攻打郡县，火烧官府，开仓放粮，惩办
guān lì dǎ jī háo qiáng shēng shì shí fēn hào dà bù dào shí tiān quán guó dōu xiǎng
官吏，打击豪强，声势十分浩大。不到十天，全国都响
yìng qǐ lái le
应起来了。

zhè shí hou hàn líng dì cái yì shí dào shì tài de yán zhòng huāng máng pài chū liǎng
这时候，汉灵帝才意识到事态的严重，慌忙派出两
lù dà jūn qù zhèn yā kě huáng jīn jūn rén duō shì zhòng guān bīng gēn běn dǐ dǎng bù
路大军去镇压。可黄巾军人多势众，官兵根本抵挡不

liǎo yú shì hàn líng dì yòu xià
了。于是，汉灵帝又下
le yī dào zhào shū fēn fù gè zhōu jùn zì jǐ
了一道诏书，吩咐各州郡自己
zhāo mù rén mǎ duì fu huáng jīn jūn zhè yàng yī lái gè dì guān yuán háo qiáng dōu
招募人马，对付黄巾军。这样一来，各地官员、豪强都
jiè zhe dǎ jī huáng jīn jūn de míng yì qiǎng duó dì pán kuò zhāng shì lì bǎ guó jiā
借着打击黄巾军的名义，抢夺地盘，扩张势力，把国家
nào de sì fēn wǔ liè
闹得四分五裂。

zài cháo tíng de zhèn yā xià huáng jīn jūn wán qiáng dǐ kàng le jiǔ gè yuè jiù zài
在朝廷的镇压下，黄巾军顽强抵抗了九个月。就在
zhè shí zhāng jiǎo bù xìng bìng sǐ huáng jīn jūn de zhàn dòu lì dà dà xuē ruò le
这时，张角不幸病死，黄巾军的战斗力大大削弱了。

zhāng jiǎo sǐ hòu zhāng bǎo zhāng liáng dài lǐng huáng jīn jūn jì xù zhàn dòu kě tā
张角死后，张宝、张梁带领黄巾军继续战斗。可他

men yī zhí wèi shī qù dà gē ér shāng xīn fàng sōng le jǐng tì ràng cháo tíng jūn duì yǒu
们一直为失去大哥而伤心，放松了警惕，让朝廷军队有
jī kě chéng zuì zhōng shuāng shuāng zhàn sǐ zhè xià qǐ yì jūn méi yǒu le shǒu lǐng
机可乘，最终双双战死。这下，起义军没有了首领，
zhǔ lì bù duì hěn kuài jiù bèi xiāo miè le shèng yú de huáng jīn jūn réng zài gè dì jì
主力部队很快就被消灭了，剩余的黄巾军仍在各地继
xù zhàn dòu le èr shí duō nián
续战斗了二十多年。

suī rán huáng jīn qǐ yì zuì zhōng shī bài le dàn tā gěi le fǔ xiǔ de dōng hàn
虽然黄巾起义最终失败了，但它给了腐朽的东汉
wáng cháo zhì mìng yī jī jiā sù le dōng hàn wáng cháo de fù wáng
王朝致命一击，加速了东汉王朝的覆亡。

# 王允妙计除董卓

WANG YUN MIAO JI CHU DONG ZHUO

在镇压黄巾起义的过程中，许多地方官吏、豪强地主都趁机扩张自己的势力，凉州豪强董卓就是其中一个。

凭借着镇压黄巾起义的功劳，董卓被封为将军。后来，他废掉汉少帝刘辩，立九岁的刘协为汉献帝，并迁都长安，自封为相国，掌握了朝廷的实权。董卓生性残暴，凶狠狡诈，当了相国后越发骄横跋扈，干尽了坏事。他不仅到处搜刮财物，还肆无忌惮地残害百姓，百姓对他又怕又恨。

当时有个大臣叫王允，他对朝廷非常忠心，决心要除掉董卓。可董卓手握大权，而且他的义子吕布骁勇无比，是一员猛将，董卓去哪里都会带上他，以防自

jǐ bèi àn shā xiǎng chú diào dǒng zhuó tán hé róng yì wáng yǔn wèi cǐ zhěng rì yōu
已被暗杀。想除掉董卓谈何容易？王允为此整日忧
chóu xīn fán yì luàn
愁，心烦意乱。

wáng yǔn fǔ zhōng yǒu gè jiào diāo chán de gē nǚ zhǎng de rú huā sì yù ér qiě
王允府中有个叫貂蝉的歌女，长得如花似玉，而且
xīn si xì mì tā jiàn wáng yǔn zhěng rì chóu méi bù zhǎn jiù qù ān wèi tā
心思细密。她见王允整日愁眉不展，就去安慰他。

wáng yǔn kàn dào diāo chán tū rán xiǎng dào yī gè zhǔ yi wǒ hé bù yòng měi rén
王允看到貂蝉，突然想到一个主意：我何不用美人
jì chǎn chú dǒng zhuó yú shì tā dāng jí rèn diāo chán zuò le yì nǚ bìng zhuó shǒu bù
计铲除董卓？于是，他当即认貂蝉做了义女，并着手部
shǔ tā de jì huà
署他的计划。

dì èr tiān wáng yǔn zài fǔ zhōng shè yàn zhāo dài lǚ bù jiǔ xí shang wáng yǔn
第二天，王允在府中设宴招待吕布。酒席上，王允
tè yì ān pái diāo chán chū lái tiào wǔ zhù xìng lǚ bù yī xià zi jiù bèi diāo chán de
特意安排貂蝉出来跳舞助兴。吕布一下子就被貂蝉的
měi mào xī yǐn zhù le jiǔ jiǔ yí bù kāi shì xiàn wáng yǔn chèn jī shuō yào bǎ diāo chán
美貌吸引住了，久久移不开视线。王允趁机说要把貂蝉
xǔ pèi gěi lǚ bù lǚ bù fēi cháng gāo xìng hé wáng yǔn yuē dìng guò jǐ tiān biàn lái yíng
许配给吕布。吕布非常高兴，和王允约定过几天便来迎
qǔ diāo chán guò mén
娶貂蝉过门。

yī tiān hòu wáng yǔn yòu bǎ dǒng zhuó qǐng dào fǔ shàng hē jiǔ yě ràng diāo chán tiào
一天后，王允又把董卓请到府上喝酒，也让貂蝉跳
wǔ zhù xìng dǒng zhuó xiàng lái hào sè duì diāo chán de měi mào chuí xián sān chǐ
舞助兴。董卓向来好色，对貂蝉的美貌垂涎三尺。

wáng yǔn jiàn le lián máng shuō rú guǒ xiàng guó xǐ huan wǒ yuàn yì jiāng xiǎo nǚ
王允见了，连忙说："如果相国喜欢，我愿意将小女

diāo chán xiàn gěi nín zhè zhèng hé dǒng zhuó de xīn yì tā xīn rán jiē shòu dàng wǎn jiù
貂蝉献给您。”这正合董卓的心意，他欣然接受，当晚就
bǎ diāo chán dài huí le fǔ zhōng
把貂蝉带回了府中。

lǚ bù dé zhī xiāo xi hòu nù qì chōng chōng de gǎn dào wáng yǔn jiā zhì wèn wáng
吕布得知消息后，怒气冲冲地赶到王允家质问王
yǔn wáng yǔn gù zuò wéi nán de shuō dǒng xiàng guó qīn zì dào wǒ jiā li bǎ xiǎo nǚ
允。王允故作为难地说：“董相国亲自到我家里把小女
yào qù le wǒ nǎ gǎn zǔ zhǐ
要去了，我哪敢阻止？”

lǚ bù tīng le bù yóu de duì dǒng zhuó xīn shēng yuàn qì
吕布听了，不由得对董卓心生怨气。

后来，吕布趁董卓上朝的时候前去相府，找到了貂蝉。貂蝉一见吕布，就哭诉自己被董卓霸占的痛苦。

吕布看着貂蝉楚楚可怜的模样，心疼不已，忍不住搂着她安慰，心里暗暗发誓一定要把貂蝉夺回来。

谁知，这情景恰好被赶回府中的董卓看见了。董卓怒气冲天，举起戟就刺向吕布。幸好吕布身手敏捷，巧妙地闪开了，并趁机逃了出去。

貂蝉哭着告诉董卓："那吕布十分无理，竟然调戏我。"就这样，董卓对吕布也有了成见。

吕布狼狈地来到王允的府上，愤愤不平地对王允说："不杀董卓老贼，难平我心头之恨！"

王允见时机已到，就说："将军和董卓本不是一家人。现在他抢你的妻子，更是连往日的情分也不顾了。"

这话正说到吕布的痛处，更加深了他对董卓的恨意。于是，王允和吕布二人开始密谋除掉董卓。

liǎng tiān hòu wáng yǔn jiǎ chuán shèng zhǐ zhào dǒng zhuó qù huáng gōng shāng yì guó jiā
两天后，王允假传圣旨，召董卓去皇宫商议国家
dà shì dǒng zhuó bù zhī shì jì xìng chōng chōng de lái dào huáng gōng jié guǒ tā
大事。董卓不知是计，兴冲冲地来到皇宫。结果，他
yī jìn gōng mén jiù bèi lǚ bù yòng jǐ cì pò le hóu lóng dǎo dì ér sǐ
一进宫门，就被吕布用戟刺破了喉咙，倒地而死。

wáng yǔn xià lìng bǎ dǒng zhuó de shī tǐ rēng zài jiē tóu bǎi xìng jiàn jiān zéi bèi
王允下令把董卓的尸体扔在街头，百姓见奸贼被
chú wú bù pāi shǒu chēng kuài
除，无不拍手称快。

# 曹操煮酒论英雄

CAO CAO ZHU JIU LUN YING XIONG

董卓死后不久，长安发生内乱，吕布兵败逃走，王允也被杀了。在混乱的局面下，曹操因拥立汉献帝有功而被重用。渐渐地，曹操将朝廷大权揽在自己的手中。

一天，曹操正在谋划如何铲除吕布，忽然有人来报刘备带着结拜兄弟关羽和张飞前来投奔。曹操非常高兴，热情地把三人迎入府中。

刘备本是汉景帝之子中山靖王的后代，为人仁义，爱结交豪侠之士。自从与志同道合的张飞、关羽结拜为兄弟后，刘备就开始招兵买马，打算兴复汉室。

不久，刘备和曹操联合起来征讨吕布。生擒吕布后，曹操便让汉献帝封刘备为左将军。之后，汉献帝对

liú bèi yǐ lǐ xiāng dài jīng cháng yǔ tā yī tóng chū rù
刘备以礼相待，经常与他一同出入。

zhè shí cáo cāo shǒu xià de móu shì chéng yù xiàng cáo cāo jiàn yì liú bèi shì hàn
这时，曹操手下的谋士程昱向曹操建议：“刘备是汉
shì de hòu dài ér qiě shǒu xià měng jiàng zhòng duō rú guǒ jiāng lái tā dǎ zhe huáng zú
室的后代，而且手下猛将众多。如果将来他打着皇族
de qí hào yǔ wǒ men zhēng duó tiān xià wǒ men jiù chǔ yú liè shì le wèi shén me
的旗号与我们争夺天下，我们就处于劣势了。为什么
bù chèn tā xiàn zài shì lì hái bù dà zhǎo gè jī huì chú diào tā miǎn chú hòu huàn
不趁他现在势力还不大，找个机会除掉他，免除后患？”

cáo cāo shēng xìng duō yí běn lái jiù duì liú bèi bù fàng xīn tīng le zhè huà
曹操生性多疑，本来就对刘备不放心，听了这话，
jiù xiǎng zhǎo gè jī huì chú diào tā
就想找个机会除掉他。

liú bèi shēn zhī cáo cāo de wéi rén
刘备深知曹操的为人，
wèi le fáng zhǐ cáo cāo shí pò zì jǐ de
为了防止曹操识破自己的
xióng xīn zhuàng zhì
雄心壮志，

tā jī hū bù cān yù zhèng shì zhěng tiān zài zì jiā hòu yuán zhòng cài zhuāng chū yī fù liǎng
他几乎不参与政事，整天在自家后园种菜，装出一副两
ěr bù wén chuāng wài shì de yàng zi zhāng fēi hé guān yǔ yě bèi méng zài gǔ li tiān tiān
耳不闻窗外事的样子。张飞和关羽也被蒙在鼓里，天天
mán yuàn liú bèi wú suǒ shì shì liú bèi duì cǐ zhǐ shì dàn dàn yī xiào bù zuò jiě shì
埋怨刘备无所事事。刘备对此只是淡淡一笑，不做解释。

yǒu yī cì cáo cāo pài rén qù liú bèi jiā zhōng cì tàn xū shí qù de rén jiàn
有一次，曹操派人去刘备家中刺探虚实。去的人见
liú bèi máng zhe gěi cài yuán chú cǎo jiāo shuǐ jiù huí qù bǐng bào le cáo cāo tīng le
刘备忙着给菜园除草、浇水，就回去禀报了。曹操听了，
duì liú bèi shāo shāo fàng sōng le jǐng tì
对刘备稍稍放松了警惕。

guò le yī duàn shí jiān cáo cāo qǐng liú bèi dào fǔ zhōng hē jiǔ nà tiān guān
过了一段时间，曹操请刘备到府中喝酒。那天关
yǔ zhāng fēi zhèng hǎo bù zài liú bèi zhǐ hǎo tí xīn diào dǎn de dú zì fù huì liǎng
羽、张飞正好不在，刘备只好提心吊胆地独自赴会。两
rén lái dào yuán zhōng yī biān hē jiǔ yī biān liáo tiān xiāng chǔ de fēi cháng yú kuài
人来到园中，一边喝酒一边聊天，相处得非常愉快。

jiǔ hē dào yī bàn cáo cāo tū rán wèn dào dāng jīn tiān xià nǐ rèn wéi shéi
酒喝到一半，曹操突然问道："当今天下，你认为谁
suàn de shàng yīng xióng
算得上英雄？"

liú bèi zhī dào cáo cāo shì zài shì tan zì jǐ gù yì zhuāng chū háo wú jiàn shi
刘备知道曹操是在试探自己，故意装出毫无见识
de yàng zi shuō huái nán de yuán shù bīng duō liáng zú yīng gāi suàn de shàng shì yīng xióng
的样子，说："淮南的袁术兵多粮足，应该算得上是英雄。"

cáo cāo xiào zhe shuō yuán shù hǎo xiàng fén mù zhōng de kū gǔ bù huì yǒu shén
曹操笑着说："袁术好像坟墓中的枯骨，不会有什
me zuò wéi zǎo wǎn huì chéng wéi wǒ de fú lǔ
么作为，早晚会成为我的俘虏。"

liú bèi shuō hé běi de yuán shào chū shēn míng mén bù xià néng rén yě duō kě
刘备说:“河北的袁绍出身名门,部下能人也多,可
suàn yīng xióng ba
算英雄吧?”

cáo cāo xiào xiào shuō yuán shào yōu róu guǎ duàn tān tú xiǎo lì nán chéng dà shì
曹操笑笑说:“袁绍优柔寡断,贪图小利,难成大事。”

liú bèi yòu liè jǔ le yī xiē dāng shí de zhū hóu dàn dōu bèi cáo cāo yī yī fǒu
刘备又列举了一些当时的诸侯,但都被曹操一一否
dìng le zuì hòu liú bèi kǔ xiào zhe shuō nà wǒ shí zài bù zhī hái yǒu shéi néng
定了。最后,刘备苦笑着说:“那我实在不知还有谁能
suàn yīng xióng le
算英雄了。”

cáo cāo pāi shǒu dà xiào xiān zhǐ le zhǐ liú bèi yòu zhǐ le zhǐ zì jǐ shuō
曹操拍手大笑,先指了指刘备,又指了指自己,说:
dāng jīn tiān xià néng chēng de shàng yīng xióng de zhǐ yǒu nǐ hé wǒ
“当今天下能称得上英雄的,只有你和我!”

liú bèi tīng le zhè huà xīn zhōng yī zhèn shǒu zhōng de kuài zi bù yóu zì zhǔ de
刘备听了这话，心中一震，手中的筷子不由自主地
luò dào dì shang zhè shí qià hǎo xiǎng qǐ yī shēng jīng léi tā máng wān xià yāo shí
落到地上。这时，恰好响起一声惊雷，他忙弯下腰，拾
qǐ kuài zi shuō hǎo dà de léi shēng xià de wǒ bǎ kuài zi dōu nòng diào le
起筷子，说：“好大的雷声，吓得我把筷子都弄掉了。”

liú bèi jiù zhè yàng qiǎo miào de yǎn shì le zì jǐ nèi xīn de jīng kǒng xìng hǎo
刘备就这样巧妙地掩饰了自己内心的惊恐。幸好
cáo cāo tīng le bìng méi yǒu huái yí
曹操听了并没有怀疑。

huí dào jiā zhōng liú bèi fǎn fù sī liang cáo cāo de huà jué de cáo cāo bǎ zì
回到家中，刘备反复思量曹操的话，觉得曹操把自
jǐ dàng chéng le qiáng dà de duì shǒu rì hòu kěn dìng huì xiǎng fāng shè fǎ chú diào zì jǐ
己当成了强大的对手，日后肯定会想方设法除掉自己
de yú shì jǐ tiān hòu liú bèi jiè zhe gōng dǎ yuán shù de jī huì dài zhe guān
的。于是，几天后，刘备借着攻打袁术的机会，带着关
yǔ zhāng fēi lí kāi cáo cāo tóu bèn le yuán shào
羽、张飞离开曹操，投奔了袁绍。

# 官渡之战

GUAN DU ZHI ZHAN

dōng hàn mò nián cáo cāo xié tiān zǐ yǐ lìng zhū hóu zhú jiàn tǒng yī le huáng hé
东汉末年，曹操挟天子以令诸侯，逐渐统一了黄河
yǐ nán de dì qū yǔ cǐ tóng shí yuán shào yě zài bù duàn kuò zhāng shì lì qiǎng zhàn
以南的地区。与此同时，袁绍也在不断扩张势力，抢占
le huáng hé yǐ běi de dì qū yuán shào zì shì dì guǎng rén zhòng jí yú huī bīng zhí
了黄河以北的地区。袁绍自恃地广人众，急于挥兵直
zhǐ cáo cāo de dà běn yíng xǔ chāng jiǎn miè cáo cāo de shì lì
指曹操的大本营许昌，剪灭曹操的势力。

gōng yuán nián yuè yuán shào tiāo xuǎn shí wàn jīng bīng zhàn mǎ wàn pǐ nán
公元199年6月，袁绍挑选十万精兵，战马万匹，南
xià gōng dǎ cáo cāo gōng yuán nián yuè yuán shào qīn shuài dà jūn dào dá huáng hé
下攻打曹操。公元200年2月，袁绍亲率大军到达黄河
biān pài dà jiàng yán liáng gōng dǎ jūn shì zhòng dì bái mǎ cáo jūn sǐ shāng cǎn zhòng bái
边，派大将颜良攻打军事重地白马。曹军死伤惨重，白
mǎ jí jí kě wēi
马岌岌可危。

cáo cāo dāng shí zhǐ yǒu sān sì wàn bīng mǎ bù néng yìng pèng yìng yú shì cǎi yòng
曹操当时只有三四万兵马，不能硬碰硬，于是采用
le shēng dōng jī xī de jì cè xiān pài yī xiǎo duì rén mǎ dào dá huáng hé dù kǒu yán
了声东击西的计策。先派一小队人马到达黄河渡口延
jīn jiǎ zhuāng dù hé děng dào yuán shào pài bīng lán jié zài chéng jī shuài jūn dōng jìn
津，假装渡河，等到袁绍派兵拦截，再乘机率军东进，

jiāng yán liáng shā gè cuò shǒu bù jí jiě le bái mǎ zhī wéi
将颜良杀个措手不及，解了白马之围。

yuán shào dé zhī qián xiàn zhàn bài qì de zhí duò jiǎo dà jiàng wén chǒu lín wēi shòu
袁绍得知前线战败，气得直跺脚。大将文丑临危受
mìng shuài lǐng wǔ liù qiān qí bīng dù hé zhuī jī cáo jūn méi xiǎng dào yuán jūn zài bàn
命，率领五六千骑兵渡河追击曹军。没想到，袁军在半
tú zhòng le cáo jūn de mái fú bèi shā de diū kuī qì jiǎ jiù lián dà jiàng wén chǒu yě
途中了曹军的埋伏，被杀得丢盔弃甲，就连大将文丑也
bèi fú huò zhǎn shǒu le
被俘获斩首了。

suī rán yuán shào jiē lián chī le liǎng cì bài zhàng dàn tā yī rán qǐ tú yī kào bīng
虽然袁绍接连吃了两次败仗，但他依然企图依靠兵
lì shang de yōu shì jiān miè cáo jūn zài tā de mìng lìng xià yuán jūn yī lù zhuī gǎn dào
力上的优势歼灭曹军。在他的命令下，袁军一路追赶到
jūn shì yào dì guān dù yǔ zǎo yǐ dào dá nà lǐ
军事要地官渡，与早已到达那里
de cáo jūn xíng chéng duì zhì zhī shì
的曹军形成对峙之势。

cáo cāo bīng lì bù zú ér qiě liáng cǎo yě bù gòu wèi le bǎo cún shí lì
曹操兵力不足，而且粮草也不够，为了保存实力，
zhǐ hǎo jiān shǒu bù chū jǐ gè yuè hòu cáo jūn de liáng shi yuè lái yuè shǎo shì bīng
只好坚守不出。几个月后，曹军的粮食越来越少，士兵
pí láo bù kān cáo cāo rèn wéi cháng qī jiāng chí xià qù duì zì jǐ yǒu hài wú lì
疲劳不堪。曹操认为长期僵持下去，对自己有害无利，
jiù dǎ suàn chè bīng
就打算撤兵。

móu shì xún yù bìng bù zàn tóng shuō wǒ jūn yī dàn chè tuì yuán shào dà jūn
谋士荀彧并不赞同，说：“我军一旦撤退，袁绍大军
bì dìng zhuī gǎn dí wǒ bīng lì xuán shū wǒ jūn bì rán zhàn bài wéi jīn zhī jì
必定追赶，敌我兵力悬殊，我军必然战败。为今之计，
zhǐ néng jì xù jiān shǒu zhǎo jī huì tū pò chóng wéi
只能继续坚守，找机会突破重围。”

cáo cāo jué de xún yù de fēn xī hěn yǒu dào lǐ jiù cǎi nà le xún yù de
曹操觉得荀彧的分析很有道理，就采纳了荀彧的
zhǔ zhāng xià lìng jūn duì liú zài yuán dì sì jī xíng dòng
主张，下令军队留在原地伺机行动。

zhè shí yuán shào de móu shì xǔ yōu liào zhī cáo jūn quē liáng jiù xiàng yuán shào xiàn
这时，袁绍的谋士许攸料知曹军缺粮，就向袁绍献
jì jiàn yì yuán shào pài yī xiǎo duì rén mǎ rào guò guān dù tōu xí xǔ chāng kě yuán
计，建议袁绍派一小队人马绕过官渡，偷袭许昌。可袁
shào chí chí bù kěn chū bīng yí wù le zhàn jī
绍迟迟不肯出兵，贻误了战机。

yuán shào shōu dào yī fēng xìn yǒu rén zài xìn zhōng wū gào xǔ yōu shōu qǔ cáo cāo
袁绍收到一封信，有人在信中诬告许攸收取曹操
de cái wù yuán shào dà nù pài rén bǎ xǔ yōu jiào le guò lái
的财物。袁绍大怒，派人把许攸叫了过来。

jiàn dào xǔ yōu hòu yuán shào jiù nù qì chōng chōng de shuō nǐ hé cáo cāo yǒu
见到许攸后，袁绍就怒气冲冲地说：“你和曹操有

jiù jiāo qing yī dìng shì shōu le tā de huì lù lái wǒ zhè lǐ dāng jiān xì kuài gǔn
旧交情，一定是收了他的贿赂来我这里当奸细！快滚，
yǐ hòu bié ràng wǒ zài kàn dào nǐ
以后别让我再看到你！”

xǔ yōu shí fēn shī wàng jiù lián yè tóu bèn cáo cāo
许攸十分失望，就连夜投奔曹操。

dāng shí cáo cāo xīn qíng fán mèn zhèng zài dà yíng li xǐ jiǎo tīng shuō xǔ yōu lái
当时曹操心情烦闷，正在大营里洗脚，听说许攸来
tóu bèn gāo xìng de guāng zhe jiǎo yā jiù pǎo chū zhàng wài yíng jiē
投奔，高兴得光着脚丫就跑出帐外迎接。

xǔ yōu jiàn le gǎn dòng bù yǐ zuò dìng zhī hòu tā zhí jiē wèn cáo cāo dào
许攸见了，感动不已。坐定之后，他直接问曹操道：
yuán shào bīng duō liáng zú nǐ men hái yǒu duō shao liáng shi
“袁绍兵多粮足，你们还有多少粮食？”

cáo cāo shuō kě yòng yī nián
曹操说：“可用一年。”

xǔ yōu wén yán shuǎi shǒu zǒu chū zhàng wài lěng xiào dào wǒ zhēn xīn lái tóu bèn
许攸闻言，甩手走出帐外，冷笑道：“我真心来投奔，
nín què mán wǒ
您却瞒我。”

cáo cāo gǎn jǐn shuō bù mán xiānsheng jūn liáng zhǐ kě yòng sān gè yuè
曹操赶紧说：“不瞒先生，军粮只可用三个月。”

xǔ yōu shuō rén men dōu shuō cáo cāo shì jiān xióng guǒ rán bù cuò
许攸说：“人们都说曹操是奸雄，果然不错！”

cáo cāo zhè cái rú shí xiāng gào liáng shi zhǐ néng wéi chí yī gè yuè le
曹操这才如实相告：“粮食只能维持一个月了。”

xǔ yōu lì jí xiàng cáo cāo xiàn shàng yī jì ràng cáo cāo jǐn kuài fā bīng wū cháo
许攸立即向曹操献上一计，让曹操尽快发兵乌巢。
wū cháo jù lí guān dù sì shí lǐ tún jī yǒu yuán jūn de liáng cǎo
乌巢距离官渡四十里，囤积有袁军的粮草。

xǔ yōu xiōng yǒu chéng zhú de shuō yuán jūn liáng cǎo yī huǐ bù chū sān tiān bì
许攸胸有成竹地说：“袁军粮草一毁，不出三天必
bài cáo cāo dà xǐ jué dìng àn zhào xǔ yōu de jì cè xíng shì
败。”曹操大喜，决定按照许攸的计策行事。

dàng yè cáo cāo shuài lǐng wǔ qiān jīng bīng dǎ zhe yuán jūn de qí hào lián yè
当夜，曹操率领五千精兵，打着袁军的旗号，连夜
chāo xiǎo lù lái dào wū cháo huǎng chēng shì yuán shào pài lái zēng yuán fáng shǒu de wū cháo
抄小路来到乌巢，谎称是袁绍派来增援防守的。乌巢
shǒu jūn bìng bù huái yí lì kè fàng xíng
守军并不怀疑，立刻放行。

cáo jūn guò guān zhī hòu xùn sù zài sì chù diǎn huǒ duī mǎn liáng cǎo de wū
曹军过关之后，迅速在四处点火。堆满粮草的乌
cháo dùn shí hóng guāng chōng tiān shāo chéng yī piàn huǒ hǎi wū cháo shǒu jūn huāng máng yìng
巢，顿时红光冲天，烧成一片火海。乌巢守军慌忙应
zhàn sǐ shāng wú shù
战，死伤无数。

yuán shào lián máng pài bīng zēng yuán méi xiǎng dào
袁绍连忙派兵增援，没想到
bàn lù zāo yù cáo jūn de fú jī bèi dǎ de sì xià táo sàn
半路遭遇曹军的伏击，被打得四下逃散。

jǐn jiē zhe cáo jūn chéng shèng zhuī jī yuán jūn háo wú dòu zhì wú xīn liàn
紧接着，曹军乘胜追击。袁军毫无斗志，无心恋
zhàn hěn kuài jiù bài xià zhèn lái
战，很快就败下阵来。

zuì hòu yuán shào dài zhe bā bǎi qí bīng cāng huáng táo huí huáng hé yǐ běi
最后，袁绍带着八百骑兵仓皇逃回黄河以北。

cǐ hòu jǐ nián cáo cāo zhú bù xiāo miè le yuán shì de qí tā cán yú shì lì
此后几年，曹操逐步消灭了袁氏的其他残余势力，
jī běn shàng tǒng yī le běi fāng
基本上统一了北方。

# 刘备三顾茅庐

LIU BEI SAN GU MAO LU

guān dù dà zhàn hòu yuán běn tóu kào zài yuán shào zhàng xià de liú bèi táo dào jīng
官渡大战后，原本投靠在袁绍帐下的刘备逃到荆
zhōu yòu tóu kào le liú biǎo liú bèi suī rán yī zhí diān pèi liú lí dàn tā shì yī
州，又投靠了刘表。刘备虽然一直颠沛流离，但他是一
gè xióng xīn bó bó de rén bù gān xīn jì rén lí xià yī zhí xiǎng yǒu suǒ zuò wéi
个雄心勃勃的人，不甘心寄人篱下，一直想有所作为。

liú bèi lái dào jīng zhōu hòu jīng zhōu yī dài de háo jié míng shì tīng shuō tā shì hàn
刘备来到荆州后，荆州一带的豪杰名士听说他是汉
cháo zōng shì de hòu yì dōu fēn fēn lái guī fù tā qí zhōng yǒu yī gè jiào xú shù de
朝宗室的后裔，都纷纷来归附他。其中有一个叫徐庶的
móu shì wèi liú bèi chū le bù shǎo jì móu
谋士，为刘备出了不少计谋。

yī tiān liú bèi yǔ xú shù tán lùn tiān xià de rén cái xú shù shuō wǒ yǒu
一天，刘备与徐庶谈论天下的人才。徐庶说：“我有
gè lǎo péng you jiào zhū gě liàng shì gè jié chū de rén cái nín ruò néng dé dào tā de
个老朋友叫诸葛亮，是个杰出的人才。您若能得到他的
fǔ zuǒ bì néng chéng jiù dà yè
辅佐，必能成就大业。”

liú bèi xǐ bù zì jīn máng shuō hǎo a nǐ gǎn kuài bǎ tā qǐng lái ba
刘备喜不自禁，忙说：“好啊！你赶快把他请来吧！”

xú shù yáo yáo tóu shuō zhè kě bù xíng xiàng zhū gě liàng zhè yàng de xián rén
徐庶摇摇头说：“这可不行，像诸葛亮这样的贤人，

yī dìng yào nín qīn zì qù qǐng cái néng xiǎn shì nín de chéng yì a

一定要您亲自去请，才能显示您的诚意啊！”

liú bèi jué de xú shù shuō de yǒu lǐ jiù dài shàng guān yǔ zhāng fēi qīn zì qián

刘备觉得徐庶说得有理，就带上关羽、张飞亲自前

wǎng lóng zhōng wò lóng gǎng bài huì zhū gě liàng

往隆中卧龙岗拜会诸葛亮。

zhū gě liàng zì kǒng míng zì xiǎo méi le fù mǔ gēn zhe shū fù lái dào jīng zhōu

诸葛亮字孔明，自小没了父母，跟着叔父来到荆州。

tā zì yòu cōng huì hào xué shú dú bīng shū kè kǔ zuān yán bīng fǎ zhèn tú zhì guó ān

他自幼聪慧好学，熟读兵书，刻苦钻研兵法阵图、治国安

bāng zhī shù rén chēng wò lóng xiān sheng

邦之术，人称“卧龙先生”。

liú bèi sān rén fēng chén pú pú de gǎn dào wò lóng gǎng bù liào zhū gě liàng bù zài

刘备三人风尘仆仆地赶到卧龙岗，不料诸葛亮不在

jiā ràng tā men pū le gè kōng liú bèi yī zhí děng dào tiān hēi yě bù jiàn zhū gě

家，让他们扑了个空。刘备一直等到天黑，也不见诸葛

liàng huí lái zhǐ hǎo huí qù le

亮回来，只好回去了。

liú bèi bìng bù huī xīn guò le xiē rì zi tā zài cì qián qù bài fǎng zhè

刘备并不灰心，过了些日子，他再次前去拜访。这

tiān tiān qì fēi cháng hán lěng hái xià qǐ le é máo dà xuě zhāng fēi guān yǔ quàn liú

天天气非常寒冷，还下起了鹅毛大雪。张飞、关羽劝刘

bèi gǎi tiān zài qù liú bèi bù kěn yú shì sān rén mào zhe fēng xuě jiān nán bá

备改天再去，刘备不肯。于是，三人冒着风雪，艰难跋

shè le hǎo jiǔ cái gǎn dào wò lóng gǎng

涉了好久才赶到卧龙岗。

méi xiǎng dào zhū gě liàng yòu bù zài jiā zhāng fēi běn lái jiù bù yuàn yì lái

没想到，诸葛亮又不在家。张飞本来就不愿意来，

xiàn zài lián pèng liǎng cì bì xīn zhōng hěn nǎo huǒ jiù bù duàn cuī cù zhe huí qù guān

现在连碰两次壁，心中很恼火，就不断催促着回去。关

羽也说："大哥对诸葛亮已经很有礼节了。他这样躲着不见您，实在太过分了！"刘备并不在意，反而耐心地劝说两人。

过了一段时间，刘备选了一个吉日，并斋戒三日、沐浴更衣，准备第三次登门拜访诸葛亮。关羽说："这人怕是徒有虚名，不见也罢。"张飞说："不需要劳驾大哥亲自去请，我带上一条麻绳直接把他绑来！"刘备听后

bǎ liǎng rén xùn chì le yī fān jiān chí shàng lù le
把两人训斥了一番，坚持上路了。

zhè huí zhū gě liàng zǒng suàn zài jiā le bù guò tā zhèng zài shuì wǔ jiào liú
这回诸葛亮总算在家了，不过，他正在睡午觉。刘
bèi bù gǎn jīng dòng zhū gě liàng yī zhí zhàn zài mén wài děng hòu guò le yī gè duō shí
备不敢惊动诸葛亮，一直站在门外等候。过了一个多时
chen zhū gě liàng zhōng yú shuì xǐng le liú bèi lián máng shàng qián xíng lǐ qiú jiào
辰，诸葛亮终于睡醒了，刘备连忙上前行礼求教。

zhū gě liàng bèi liú bèi sān gù máo lú de chéng yì gǎn dòng le gǎn máng qǐ shēn
诸葛亮被刘备三顾茅庐的诚意感动了，赶忙起身
jiāng liú bèi yíng jìn wū zhōng tán huà
将刘备迎进屋中谈话。

zhū gě liàng duì tiān xià xíng shì liǎo ruò zhǐ zhǎng tā jīng pì de fēn xī ràng liú bèi
诸葛亮对天下形势了若指掌，他精辟的分析让刘备
jīng tàn bù yǐ liú bèi dǎ xīn yǎn li pèi fú zhū gě liàng de yuǎn jiàn zhuó shí yú shì
惊叹不已。刘备打心眼里佩服诸葛亮的远见卓识，于是
gōng gōng jìng jìng de qǐng tā chū shān gòng móu dà yè zhū gě liàng yě bèi liú bèi de chéng
恭恭敬敬地请他出山共谋大业。诸葛亮也被刘备的诚

yì suǒ gǎn dòng dā ying chū shān xiāng zhù
意所感动，答应出山相助。

bù jiǔ liú bèi bài zhū gě liàng wéi jūn shī duì tā fēi cháng qì zhòng guān yǔ
不久，刘备拜诸葛亮为军师，对他非常器重。关羽
hé zhāng fēi xīn lǐ hěn bù gāo xìng bèi hòu zhí dí gu tā men rèn wéi zhū gě liàng
和张飞心里很不高兴，背后直嘀咕。他们认为诸葛亮
wèi bì yǒu duō dà néng nai zhǐ guài liú bèi bǎ tā kàn de tài zhòng le
未必有多大能耐，只怪刘备把他看得太重了。

liú bèi què xiàng tā men jiě shì shuō wǒ yǒu le kǒng míng xiān sheng jiù xiàng yúr
刘备却向他们解释说：“我有了孔明先生，就像鱼儿
dé dào le shuǐ yī yàng
得到了水一样。”

hòu lái zhū gě liàng lǚ cì zhǎn xiàn zì jǐ de cái huá guān yǔ hé zhāng fēi yě
后来，诸葛亮屡次展现自己的才华，关羽和张飞也
duì tā yuè lái yuè pèi fú
对他越来越佩服。

cóng cǐ yǐ hòu zhū gě liàng yī xīn yī yì fǔ zuǒ liú bèi shǐ liú bèi de shì
从此以后，诸葛亮一心一意辅佐刘备，使刘备的势
lì yī tiān tiān zhuàng dà qǐ lái zuì zhōng chéng wéi sān fēn tiān xià de yī fāng bà zhǔ
力一天天壮大起来，最终成为三分天下的一方霸主。

# 赤壁之战

CHI BI ZHI ZHAN

dāng cáo cāo hé yuán shào zài běi fāng dǎ de bù kě kāi jiāo shí nán fāng de sūn
当曹操和袁绍在北方打得不可开交时，南方的孙
shì jiā zú xùn sù jué qǐ zhàn jù le jiāng dōng jiàn lì le dōng wú zhèng quán
氏家族迅速崛起，占据了江东，建立了东吴政权。

hòu lái cáo cāo tǒng yī le běi fāng shuài jūn nán xià zhǔn bèi xiān gōng dǎ jīng
后来，曹操统一了北方，率军南下，准备先攻打荆
zhōu liú biǎo zài miè dōng wú sūn quán zhè shí liú biǎo yǐ sǐ tā de ér zi liú
州刘表，再灭东吴孙权。这时，刘表已死，他的儿子刘
cóng jiē rèn liú cóng jiàn cáo jūn lái shì xiōng xiōng jiù zhǔ dòng tóu xiáng le
琮接任。刘琮见曹军来势汹汹，就主动投降了。

liú bèi dāng shí zhèng zhù shǒu zài jīng zhōu bù yuǎn de fán chéng tīng shuō cáo cāo lái
刘备当时正驻守在荆州不远的樊城，听说曹操来
fàn jí máng wǎng jiāng líng chè tuì cáo cāo qīn zì shuài bīng zhuī gǎn zài dāng yáng cháng
犯，急忙往江陵撤退。曹操亲自率兵追赶，在当阳长
bǎn pō zhuī shàng le liú bèi dà bài liú jūn liú bèi zhǐ dé wǎng nán táo zǒu kě cáo
坂坡追上了刘备，大败刘军。刘备只得往南逃走，可曹
jūn réng rán bù bù jǐn bī xíng shì wàn fēn wēi jí
军仍然步步紧逼，形势万分危急。

zhè shí zhū gě liàng jiàn yì liú bèi yǔ dōng wú sūn quán lián hé duì kàng cáo cāo
这时，诸葛亮建议刘备与东吴孙权联合对抗曹操。
liú bèi jué de zhè ge jiàn yì kě xíng jiù pài zhū gě liàng qù jiàn sūn quán
刘备觉得这个建议可行，就派诸葛亮去见孙权。

孙权也有联合抗曹的想法，但考虑到双方兵力悬殊，再加上朝堂里主张向曹操求和的呼声很高，因此拿不定主意。

诸葛亮向孙权详细地分析了天下的形势和曹操的野心，还与东吴主张投降的大臣们辩论，把他们说得哑口无言。最后，孙权终于同意联合刘备一起抗曹。他任命大将周瑜为都督，负责调兵遣将，进驻赤壁南岸，与北岸的曹军隔江相对。

曹操的士兵大多是北方人，不识水性，一坐船就眩晕呕吐，根本无法作战。可是要渡

guò dà jiāng fēi zuò chuán bù kě hòu lái yǒu rén xiàng cáo cāo xiàn jì yòng tiě suǒ
过大江，非坐船不可。后来，有人向曹操献计：用铁索
bǎ suǒ yǒu zhàn chuán lián qǐ lái pū shàng mù bǎn zhè yàng shì bīng men jiù xiàng zǒu zài
把所有战船连起来，铺上木板，这样，士兵们就像走在
píng dì shang yī yàng
平地上一样。

cáo cāo cǎi nà le zhè ge jiàn yì zhàn chuán yòng tiě suǒ lián zài yī qǐ hòu guǒ
曹操采纳了这个建议。战船用铁索连在一起后果
rán shí fēn píng wěn
然十分平稳。

dōng wú lǎo jiàng huáng gài kàn dào zhè ge qíng kuàng jiù xiàng zhōu yú jiàn yì xiàn
东吴老将黄盖看到这个情况，就向周瑜建议：“现
zài cáo jūn bǎ zhàn chuán dōu lián jiē zài yī qǐ wǒ kàn kě yǐ yòng huǒ gōng tā men
在曹军把战船都连接在一起，我看可以用火攻他们。”

zhè yī jiàn yì yǔ zhōu yú de xiǎng fǎ bù móu ér hé liǎng rén zǐ xì shāng yì zhī
这一建议与周瑜的想法不谋而合，两人仔细商议之
hòu jué dìng shàng yǎn yī chū kǔ ròu jì
后，决定上演一出苦肉计。

dì èr tiān zhōu yú zhào jí shǒu xià dà jiàng shāng yì gōng dǎ cáo cāo zhī shì
第二天，周瑜召集手下大将商议攻打曹操之事。
huáng gài zhàn chū lái gù yì shuō cáo jūn tài qiáng dà le zǎo wǎn yào zhàn bài bù rú
黄盖站出来，故意说曹军太强大了，早晚要战败，不如
zǎo xiē tóu xiáng zhōu yú nù mà huáng gài rǎo luàn jūn xīn mìng rén bǎ huáng gài lā chū
早些投降。周瑜怒骂黄盖扰乱军心，命人把黄盖拉出
qù dǎ le wǔ shí jūn gùn zhí dǎ de tā pí kāi ròu zhàn xiān xuè zhí liú jǐ cì
去打了五十军棍，直打得他皮开肉绽，鲜血直流，几次
hūn sǐ guò qù
昏死过去。

huáng gài jiǎ zhuāng xiū fèn nán dāng àn dì lǐ pài rén gěi cáo cāo sòng qù mì xìn
黄盖假装羞愤难当，暗地里派人给曹操送去密信，

biǎo shì yuàn yì tóu xiáng cáo jūn cáo cāo yuán běn yí lǜ chóng chóng děng tīng dào hùn zài
表示愿意投降曹军。曹操原本疑虑重重，等听到混在
zhōu yú jūn zhōng de jiān xì bào gào le huáng gài bèi tòng dǎ de jīng guò hòu cái xìn yǐ
周瑜军中的奸细报告了黄盖被痛打的经过后，才信以
wéi zhēn bìng yǔ huáng gài yuē dìng guī xiáng jì huà
为真，并与黄盖约定归降计划。

yī qiè dōu àn jì huà jìn xíng zhe kě shì zhōu yú réng rán chóu méi bù zhǎn
一切都按计划进行着，可是，周瑜仍然愁眉不展。
yuán lái dāng shí shì lóng dōng shí jié guā de shì xī běi fēng rú guǒ yòng huǒ gōng zhǐ
原来，当时是隆冬时节，刮的是西北风，如果用火攻只
huì jiāng huǒ shāo dào zì jǐ de jūn chuán shang
会将火烧到自己的军船上。

zhū gě liàng kàn chū le zhōu yú de xīn si jiào tā bù yòng dān xīn hái shuō zì
诸葛亮看出了周瑜的心思，叫他不用担心，还说自
jǐ néng jiè lái dōng fēng zhōu yú jiāng xìn jiāng yí bù guò hái shi àn dì lǐ zuò hǎo le
己能借来东风。周瑜将信将疑，不过还是暗地里做好了
huǒ gōng zhǔn bèi
火攻准备。

guò le jǐ tiān dào le zhū gě liàng dìng hǎo de rì zi dāng wǎn guǒ rán guā qǐ
过了几天，到了诸葛亮定好的日子。当晚果然刮起
le dōng nán fēng ér qiě fēng shì yuè lái yuè dà huáng gài jiàn shí jī yǐ dào jiù dài
了东南风，而且风势越来越大。黄盖见时机已到，就带
zhe shì bīng men jià zhe shí jǐ sōu zhuāng yǒu gān lú wěi de xiǎo chuán chéng zhe dà fēng xiàng
着士兵们驾着十几艘装有干芦苇的小船，乘着大风向
jiāng běi de cáo jūn shǐ qù
江北的曹军驶去。

cáo cāo cǐ shí zhèng dài zhe jiàng lǐng zhàn zài chuán shang chá kàn jūn qíng tā kàn jiàn
曹操此时正带着将领站在船上查看军情。他看见
shí jǐ sōu chā zhe qīng lóng qí de chuán shùn fēng shǐ lái zhī dào shì huáng gài qián lái tóu
十几艘插着青龙旗的船顺风驶来，知道是黄盖前来投
xiáng fēi cháng dé yì
降，非常得意。

huáng gài de chuán chéng zhe fēng shì hěn kuài jiù dào le cáo cāo de zhàn chuán qián
黄盖的船乘着风势，很快就到了曹操的战船前。

zhè shí huáng gài hū rán gāo shēng xià lìng diǎn huǒ
这时，黄盖忽然高声下令：“点火！”

chà nà jiān shí jǐ sōu chuántóng shí zháo le huǒ jiù xiàng yī tiáo tiáo jù dà de huǒ lóng xiàng zhe cáo jūn chuán jiàn fēi sù shǐ qù
刹那间，十几艘船同时着了火，就像一条条巨大的火龙，向着曹军船舰飞速驶去。

cáo jūn de chuán jiàn quán bèi tiě suǒ lián zài yī qǐ zhèng tuō bù kāi zhuǎn yǎn jiān jiù shāo chéng yī piàn huǒ hǎi cáo jūn bèi shāo sǐ de yān sǐ de shì bīng bù jì qí shù
曹军的船舰全被铁索连在一起，挣脱不开，转眼间就烧成一片火海。曹军被烧死的、淹死的士兵不计其数。

jiāng miàn shang huǒ guāng chōng tiān cáo cāo jí de bù zhī suǒ cuò zài jiā shàng zì jǐ bù shú shuǐ xìng zhǐ néng dāi dāi de kàn zhe yǎn qián de cǎn zhuàng zhè shí zhāng liáo jià zhe yī sōu xiǎo chuán lái jiù tā cáo cāo chéng zuò xiǎo chuán shàng àn méi xiǎng dào sūn liú lián jūn zǎo yǐ zài àn shang mái fú le bīng mǎ chéng shì měng gōng
江面上火光冲天，曹操急得不知所措，再加上自己不熟水性，只能呆呆地看着眼前的惨状。这时，张辽驾着一艘小船来救他。曹操乘坐小船上岸，没想到孙、刘联军早已在岸上埋伏了兵马，乘势猛攻。

cáo cāo láng bèi tū wéi zuì hòu táo huí le běi fāng
曹操狼狈突围，最后逃回了北方。

# 关羽败走麦城

GUAN YU BAI ZOU MAI CHENG

赤壁之战后，周瑜率军与留守在荆州的曹军作战。眼看荆州就要到手，没有地盘的刘备趁机出兵，毫不费力地占领荆州，抢夺了周瑜的胜利果实。

孙权对此十分气恼，但为了维持孙、刘的结盟关系，他只好答应把荆州借给刘备。至此，曹操、孙权、刘备各霸一方，三足鼎立的局面基本形成。

后来的十年间，刘备又占领了川蜀之地，势力大增。孙刘之间的关系开始发生了变化。

公元219年，刘备派关羽攻打樊城，想进一步扩大自己的势力范围。当时正碰上汉水暴涨，关羽利用大水淹没了曹军大将于禁的七支大军，包围了樊城。

为解樊城之困，曹操写信约孙权一起夹击关羽。孙权一直对刘备不还荆州怀恨在心，便派大将吕蒙率军攻打关羽。

吕蒙出发后，发现关羽早有防备。关羽不仅在荆州安排了留守兵力，还命人沿江搭建了许多烽火台，以防敌人偷袭。吕蒙见荆州难以攻破，便假装得了重病，迟迟不肯出兵，请孙权另派将领。

小将陆逊猜出了吕蒙的心事，献上一计："关羽自以为英雄无敌，东吴众将除了将军之外，他都不放在眼里。

将军可以以病重为由辞去职务，换别人来统率军队。这样，关羽就会因为轻敌而放松警惕，将荆州的兵马调去攻打樊城。将军趁那个时候再领兵突袭荆州，还怕不能成功吗？”

吕蒙很高兴，把这个计谋告诉了孙权。孙权觉得可行，就立马召吕蒙回来“养病”，让默默无闻的陆逊接替了他的职位。

陆逊一上任，就给关羽写了一封信，信中语气谦卑，全是一些奉承的话。关羽看完信，认为陆逊是个无能之人，对自己构不成威胁，就把留守荆州的大部分人马调去攻打樊城了。

陆逊赶紧把这个情况报告给孙权。孙权一边派人给曹操送信，让他袭击关羽；一边叫吕蒙悄悄进军荆州。吕蒙选出八十艘快船，挑选三万精兵藏在船里，又让摇船的军士们打扮成商人的模样，向长江北岸驶去。

lǚ méng de duì wu yī dào duì àn jiù zāo dào shǒu hù fēng huǒ tái de shì bīng de
吕蒙的队伍一到对岸，就遭到守护烽火台的士兵的
pán wèn tā men biàn huǎng chēng shì shāng chuán yù dào le fēng làng yào kào àn duǒ bì
盘问。他们便谎称是商船遇到了风浪，要靠岸躲避。
shǒu jūn jū rán xiāng xìn le bù liào chuán yī kào àn chuán nèi jīng bīng yī qí shā chū
守军居然相信了！不料船一靠岸，船内精兵一齐杀出，
bǎ shǒu hù fēng huǒ tái de shì bīng quán dōu zhuō dào le chuán shang jiù zhè yàng lǚ méng
把守护烽火台的士兵全都捉到了船上。就这样，吕蒙
de duì wu shùn lì de dào dá jīng zhōu chéng xià
的队伍顺利地到达荆州城下。

lǚ méng ràng bèi fú de shì bīng qù jiào mén mén lì rèn de tā men bù yí yǒu
吕蒙让被俘的士兵去叫门。门吏认得他们，不疑有

zhà jiù dǎ kāi le chéng mén dōng wú jiàng shì chèn jī chōng jìn chéng li qīng sōng de duó
诈，就打开了城门。东吴将士趁机冲进城里，轻松地夺
qǔ le jīng zhōu
取了荆州。

dāng shí guān yǔ zhèng zài fán chéng yǔ cáo jiàng xú huǎng cáo rén jiāo zhàn dé zhī
当时，关羽正在樊城与曹将徐晃、曹仁交战，得知
jīng zhōu shī shǒu fēi cháng zhèn jīng mǎ shàng shuài bīng cóng fán chéng nán chè chè tuì shí
荆州失守，非常震惊，马上率兵从樊城南撤。撤退时，
shǔ jūn yù dào dōng wú jūn duì de zǔ jié liǎng jūn gāng yī pèng miàn jiù kāi shǐ sī shā
蜀军遇到东吴军队的阻截。两军刚一碰面就开始厮杀。
dōng wú de jūn duì shì rú pò zhú guān yǔ shuài lǐng zhe pí bèi zhī shī jié jié bài tuì
东吴的军队势如破竹，关羽率领着疲惫之师节节败退，
yī zhí tuì dào mài chéng
一直退到麦城。

suí hòu sūn quán shuài bīng gǎn dào pài rén quàn shuō guān yǔ tóu xiáng guān yǔ jiǎ
随后，孙权率兵赶到，派人劝说关羽投降。关羽假
zhuāng tóu xiáng zài chéng tóu shù qǐ bái qí àn dì lǐ què dài le shí jǐ gè qí bīng
装投降，在城头竖起白旗，暗地里却带了十几个骑兵
qì chéng wǎng xī táo zǒu
弃城往西逃走。

sūn quán zhī dào zhè ge xiāo xi hòu pài bīng zài guān yǔ de bì jīng zhī lù shè xià
孙权知道这个消息后，派兵在关羽的必经之路设下
mái fú hòu lái dōng wú shì bīng yòng cháng gōu tào suǒ bàn dǎo le guān yǔ de zuò
埋伏。后来，东吴士兵用长钩、套索绊倒了关羽的坐
qí huó zhuō le guān yǔ sūn quán hěn xīn shǎng guān yǔ de zhōng yì hé cái néng qīn zì
骑，活捉了关羽。孙权很欣赏关羽的忠义和才能，亲自
quàn guān yǔ tóu xiáng dàn guān yǔ nù mù yuán zhēng pò kǒu dà mà wǒ zěn huì hé
劝关羽投降。但关羽怒目圆睁，破口大骂：“我怎会和
nǐ zhè yàng de xiǎo rén gòng shì yào shā biàn shā hé bì fèi huà
你这样的小人共事！要杀便杀，何必废话！”

sūn quán yǔ wén wǔ guān yuán shāng yì guān yǔ shì dāng shì háo jié wǒ hěn pèi
孙权与文武官员商议：“关羽是当世豪杰，我很佩
fú tā wǒ xiǎng yǐ lǐ xiāng dài quàn tā guī xiáng nǐ men rèn wéi zěn yàng
服他。我想以礼相待，劝他归降，你们认为怎样？”

zhǔ bù zuǒ xián shuō wàn wàn bù kě yǐ qián cáo cāo fēng guān cì jué gěi tā
主簿左咸说：“万万不可。以前曹操封官赐爵给他，
zuì hòu hái shi liú bù zhù zhǔ gōng rú guǒ bù chèn xiàn zài chú diào tā rì hòu bì chéng
最后还是留不住。主公如果不趁现在除掉他，日后必成
dà huàn sūn quán tīng hòu chén sī le bàn tiān zuì hòu mìng rén bǎ guān yǔ fù zǐ tuī
大患。”孙权听后，沉思了半天，最后命人把关羽父子推
chū qù zhǎn shǒu
出去斩首。

guān yǔ bèi hài de xiāo xi chuán dào liú bèi ěr zhōng liú bèi shāng xīn yù jué shì
关羽被害的消息传到刘备耳中，刘备伤心欲绝，誓
yào wèi guān yǔ bào chóu
要为关羽报仇。

# 诸葛亮病逝五丈原

ZHU GE LIANG BING SHI WU ZHANG YUAN

曹操去世之后，他的儿子曹丕称帝，建立魏国。刘备也在蜀中称帝，建立蜀汉政权。刘备登基后，一心想为关羽报仇，不顾诸葛亮等人的劝阻，亲率大军去征讨东吴。结果，蜀军被陆逊击败，主力尽失。刘备悔恨不已，第二年便去世了。

刘备去世后，太子刘禅即位，史称蜀汉后主。诸葛亮尽心竭力地辅佐后主，先后组织了几次大规模的北伐，想把魏国消灭掉，但都无功而返。

公元234年，诸葛亮出兵十万，再攻魏国，大军驻扎在五丈原。魏明帝曹叡连忙派大将司马懿领兵对抗。司马懿很有军事才能，曾多次出征，战功赫赫。这次出

zhēng qián wèi míng dì duì tā jiāo dài le sì gè zì zhǐ shǒu bù zhàn
征前，魏明帝对他交代了四个字：只守不战。

sī mǎ yì gǎn dào qián xiàn hòu yǔ shǔ jūn duì zhì le sān gè yuè qí jiān
司马懿赶到前线后，与蜀军对峙了三个月。其间，
rèn píng shǔ jūn rú hé tiǎo xìn tā dōu jiān shǒu bù chū zhū gě liàng biàn pài rén gěi sī
任凭蜀军如何挑衅，他都坚守不出。诸葛亮便派人给司
mǎ yì sòng qù yī tào fù nǚ chuān de fú shì àn fěng tā xiàng nǚ rén yī yàng dǎn xiǎo
马懿送去一套妇女穿的服饰，暗讽他像女人一样胆小。

wèi jūn jiàng shì kàn dào zì jǐ de jiāng jūn bèi rú cǐ cháo nòng dōu qì de yǎo
魏军将士看到自己的将军被如此嘲弄，都气得咬
yá qiè chǐ fēn fēn yāo qiú hé shǔ jūn jué yī sǐ zhàn sī mǎ yì zhī dào zhè shì
牙切齿，纷纷要求和蜀军决一死战。司马懿知道这是
zhū gě liàng de jī jiàng fǎ bìng bù shēng qì ràng dà jiā yī qiè zhào jiù wèi jūn
诸葛亮的激将法，并不生气，让大家一切照旧，魏军
jiàng shì zhǐ hǎo cóng mìng zhè xià shǔ jūn gèng jiā zháo jí le yīn wèi
将士只好从命。这下，蜀军更加着急了，因为
tā men shì yuǎn zhēng ér
他们是远征而
lái jiāng chí de yuè
来，僵持得越
jiǔ liáng cǎo jiù
久，粮草就

yuè pín fá jú shì duì shǔ jūn
越贫乏，局势对蜀军
jiù yuè bù lì
就越不利！

zhū gě liàng bìng bù huī xīn yòu pài le yī gè shǐ zhě dào wèi yíng qù tiǎo zhàn
诸葛亮并不灰心，又派了一个使者到魏营去挑战。
sī mǎ yì kè qi de jiē dài le shǐ zhě bìng bù dòng shēng sè de dǎ ting dào
司马懿客气地接待了使者，并不动声色地打听道：
nǐ men chéng xiàng yī dìng hěn máng ba shēn tǐ hái hǎo ma wèi kǒu zěn me yàng
“你们丞相一定很忙吧？身体还好吗？胃口怎么样？”

shǐ zhě jué de zhè bù guò shì yī xiē kè tào huà jiù lǎo shi huí dá dào chéng
使者觉得这不过是一些客套话，就老实回答道：“丞
xiàng zhěng tiān máng yú gōng shì dà xiǎo shì qing dōu yào qīn zì guò wèn měi tiān dōu shì qǐ
相整天忙于公事，大小事情都要亲自过问，每天都是起
zǎo tān hēi bù guò tā zuì jìn wèi kǒu bù zěn me hǎo
早贪黑。不过，他最近胃口不怎么好。”

shǐ zhě zǒu hòu sī mǎ yì duì shǒu xià de jǐ gè qīn xìn jiàng lǐng shuō zhū
使者走后，司马懿对手下的几个亲信将领说：“诸

gě liàng měi tiān yào chǔ lǐ fán zhòng de shì wù què shuì de shǎo chī de shǎo zhè yàng
葛亮每天要处理繁重的事务，却睡得少、吃得少，这样
néng chēng duō jiǔ ne yī wǒ kàn tā hěn kuài jiù huì bìng dǎo de
能撑多久呢？依我看，他很快就会病倒的。”

guǒ rán méi guò duō jiǔ zhū gě liàng jiù yóu yú cāo láo guò dù rǎn shàng zhòng
果然，没过多久，诸葛亮就由于操劳过度染上重
bìng wò chuáng bù qǐ tā bǎ dà jiàng jiāng wéi jiào dào chuáng biān fēn fù dào wǒ
病，卧床不起。他把大将姜维叫到床边，吩咐道：“我
sǐ yǐ hòu bù yào fā sāng yě bù yào bǎ wǒ qù shì de xiāo xi tòu lù chū qù
死以后，不要发丧，也不要把我去世的消息透露出去。
nǐ yào ràng jūn duì kàn qǐ lái xiàng wǎng cháng yī yàng àn zhōng màn màn chè tuì yǐ miǎn
你要让军队看起来像往常一样，暗中慢慢撤退，以免
yǐn qǐ sī mǎ yì de huái yí dé dào jiāng wéi de bǎo zhèng hòu zhū gě liàng cái fàng
引起司马懿的怀疑。”得到姜维的保证后，诸葛亮才放
xià le xīn tóu dà shí
下了心头大石。

méi guò jǐ tiān nián jǐn wǔ shí sì suì de zhū gě liàng jiù zài jūn yíng li qù shì
没过几天，年仅五十四岁的诸葛亮就在军营里去世
le àn zhào tā shēng qián de zhǔ fù shǔ jūn fēng suǒ le tā shì shì de xiāo xi bǎ
了。按照他生前的嘱咐，蜀军封锁了他逝世的消息，把
tā de yí tǐ guǒ qǐ lái ān fàng zài chē li yǒu tiáo bù wěn de kāi shǐ chè tuì
他的遗体裹起来安放在车里，有条不紊地开始撤退。

bù guò zhū gě liàng qù shì de xiāo xi hái shi bèi sī mǎ yì zhī xiǎo le tā
不过，诸葛亮去世的消息还是被司马懿知晓了，他
mǎ shàng shuài lǐng wèi jūn qù zhuī
马上率领魏军去追。

dāng sī mǎ yì de dà jūn zhuī dào wǔ zhàng yuán shí shǔ jūn tū rán xiàng hòu zhuǎn
当司马懿的大军追到五丈原时，蜀军突然向后转，
zhí bèn wèi jūn ér lái sī mǎ yì hěn yí huò fàng yǎn kàn qù zhǐ jiàn jūn zhōng dà
直奔魏军而来。司马懿很疑惑，放眼看去，只见军中大

jiàng zhèng hù zhe yī liàng lún yǐ lún yǐ shang zuò zhe de rén zhèng shì zhū gě liàng sī
将正护着一辆轮椅，轮椅上坐着的人正是诸葛亮。司
mǎ yì dà chī yī jīng yǐ wéi zhū gě liàng méi sǐ gǎn jǐn diào zhuǎn mǎ tóu xià lìng
马懿大吃一惊，以为诸葛亮没死，赶紧掉转马头，下令
quán jūn chè tuì
全军撤退。

qí shí zhè shì zhū gě liàng de yī gè jì móu tā mìng rén àn zhào tā de yàng
其实，这是诸葛亮的一个计谋，他命人按照他的样
zi yòng mù tou kè le yī zuò diāo xiàng ān fàng zài lún yǐ shang zhuān mén yòng lái duì
子，用木头刻了一座雕像，安放在轮椅上，专门用来对
fu yí xīn hěn zhòng de sī mǎ yì jié guǒ sī mǎ yì zhēn de shàng le dàng shǔ jūn
付疑心很重的司马懿。结果司马懿真的上了当，蜀军
chèn jī ān quán de chè huí le shǔ guó
趁机安全地撤回了蜀国。

# 司马昭之心

SI MA ZHAO ZHI XIN

司马懿自从在魏军中掌权后，势力越来越大。后来，魏明帝曹叡去世，年幼的太子曹芳继位，由司马懿和大将军曹爽共同辅佐。从此，司马懿和曹爽开始了朝政大权的争夺战。

公元249年，司马懿利用曹爽护送曹芳去城外拜谒明帝陵的机会，在城内发动兵变，迅速占领了都城，夺取了兵权，并以谋反的罪名诛杀了曹爽一家及其党羽。魏国的政权基本落到了司马懿手里。

公元251年，司马懿去世，他的儿子司马师和司马昭相继掌握曹魏大权。司马师看出曹芳对司马家族充满恨意，就把他废黜了，立曹丕的孙子曹髦为帝。

sī mǎ shī sǐ hòu sī mǎ zhāo zuò le dà jiāng jūn sī mǎ zhāo móu lüè guò
司马师死后，司马昭做了大将军。司马昭谋略过
rén yě xīn bó bó dú lǎn dà quán yǐ jīng bù néng mǎn zú tā le tā xiǎng zì jǐ
人，野心勃勃，独揽大权已经不能满足他了，他想自己
dāng huáng dì dāng shí cháo tíng zhōng hěn duō rén dōu tóu kào le sī mǎ zhāo sī mǎ zhāo
当皇帝。当时朝廷中很多人都投靠了司马昭，司马昭
de dǎng yǔ biàn bù cháo yě zhǐ yǒu zhēng dōng dà jiāng jūn zhū gě dàn wú suǒ wèi jù
的党羽遍布朝野。只有征东大将军诸葛诞无所畏惧，
jīng cháng hé tā zuò duì
经常和他作对。

sī mǎ zhāo yī zhí xiǎng zhǎo jī huì chú diào zhū gě dàn zhǐ shì ài yú zhū gě
司马昭一直想找机会除掉诸葛诞，只是碍于诸葛
dàn shǒu wò zhòng bīng bù hǎo xià shǒu hòu lái tā xiǎng dào le yī gè miào jì sī mǎ zhāo
诞手握重兵，不好下手。后来他想到了一个妙计。司马昭
jiǎ chuán shèng zhǐ ràng zhū gě dàn jìn jīng jiē shòu fēng shǎng yī dàn zhū gě dàn jìn jīng
假传圣旨，让诸葛诞进京接受封赏。一旦诸葛诞进京，
tā jiù néng qīng ér yì jǔ bǎ zhū gě dàn shā diào rú guǒ zhū gě dàn bù jìn jīng nà
他就能轻而易举把诸葛诞杀掉。如果诸葛诞不进京，那
jiù shì kàng zhǐ zhè yàng tā jiù kě yǐ míng zhèng yán shùn de fā bīng zhēng tǎo zhū gě dàn le
就是抗旨，这样他就可以名正言顺地发兵征讨诸葛诞了。

zhū gě dàn kàn chuān le sī mǎ zhāo de xiǎn è yòng xīn tā xiǎng qù yǔ bù qù dōu
诸葛诞看穿了司马昭的险恶用心。他想去与不去都
shì sǐ jiù gān cuì qǐ bīng zào fǎn le sī mǎ zhāo jiàn jì móu dé chěng fēi cháng gāo
是死，就干脆起兵造反了。司马昭见计谋得逞，非常高
xìng lì jí shuài jūn qián qù zhēng tǎo yī jǔ jiān miè le zhū gě dàn de shì lì yǒu
兴，立即率军前去征讨，一举歼灭了诸葛诞的势力。有
le zhū gě dàn de xiān lì cháo zhōng zài yě méi yǒu rén gǎn yǔ sī mǎ zhāo zuò duì
了诸葛诞的先例，朝中再也没有人敢与司马昭作对。

cáo máo yǎn kàn sī mǎ zhāo shì lì yuè lái yuè dà dān xīn zì jǐ yǒu zhāo yī rì
曹髦眼看司马昭势力越来越大，担心自己有朝一日

yě huì bèi sī mǎ zhāo fèi chù jiù bǎ yī xiē qīn xìn
也会被司马昭废黜，就把一些亲信
dà chén zhào jí qǐ lái tā duì dà chén men shuō zhòng wèi ài qīng rú jīn sī mǎ
大臣召集起来。他对大臣们说：“众位爱卿，如今司马
zhāo yě xīn bó bó tā chēng dì zhī xīn lián lù rén dōu kàn de chū lái wǒ bù néng zuò
昭野心勃勃，他称帝之心连路人都看得出来，我不能坐
yǐ dài bì a jīn tiān zhào nǐ men lái jiù shì yào hé nǐ men yī qǐ tǎo fá tā
以待毙啊！今天召你们来，就是要和你们一起讨伐他！”

yī wèi dà chén quàn dào bì xià zhè yàng zuò tài wēi xiǎn le sī mǎ zhāo
一位大臣劝道：“陛下，这样做太危险了！司马昭
shì lì nà me dà ér nǐ shǒu zhōng wú bīng ná shén me qù tǎo fá tā ne
势力那么大，而你手中无兵，拿什么去讨伐他呢？”

cáo máo yǎo zhe yá shuō wǒ shí zài rěn wú kě rěn le wǒ yǐ jīng zuò hǎo
曹髦咬着牙说：“我实在忍无可忍了！我已经做好
le sǐ de zhǔn bèi hái yǒu shén me kě pà de
了死的准备，还有什么可怕的？”

dàng wǎn cáo máo dài zhe qīn xìn xiàng gōng mén shā qù shéi zhī tā de jì huà
当晚，曹髦带着亲信向宫门杀去。谁知，他的计划

bèi jǐ gè dà chén xiè lòu gěi le sī mǎ zhāo tā men zhè me zuò shì jué de cáo máo
被几个大臣泄露给了司马昭。他们这么做是觉得曹髦

bù shì sī mǎ zhāo de duì shǒu dān xīn sī mǎ zhāo rì hòu huì zhì tā men de zuì
不是司马昭的对手，担心司马昭日后会治他们的罪。

sī mǎ zhāo dé zhī cáo máo yào tǎo fá tā gǎn jǐn pài le dà duì rén mǎ bǎ cáo
司马昭得知曹髦要讨伐他，赶紧派了大队人马把曹

máo yī xíng rén wéi zhù hùn zhàn zhōng cáo máo bèi sī mǎ zhāo de shǒu xià shā sǐ le
髦一行人围住。混战中，曹髦被司马昭的手下杀死了。

sī mǎ zhāo tīng shuō cáo máo bèi shā sǐ zhuāng chū fēi cháng shāng xīn de yàng zi
司马昭听说曹髦被杀死，装出非常伤心的样子，

bǎ suǒ yǒu zuì zé tuī dào dāng tiān lǐng bīng wéi gōng cáo máo de jiàng lǐng shēn shang bìng jiāng
把所有罪责推到当天领兵围攻曹髦的将领身上，并将

tā zhǎn shǒu shì zhòng hòu lái sī mǎ zhāo lì cáo huàn wéi dì jí wèi yuán dì tā
他斩首示众。后来，司马昭立曹奂为帝，即魏元帝，他

zì jǐ zé jì xù zài mù hòu cāo
自己则继续在幕后操

zòng cháo zhèng
纵朝政。

# 三国终一统

SAN GUO ZHONG YI TONG

zhū gě liàng bìng shì wǔ zhàng yuán hòu shǔ guó guó lì jiàn jiàn shuāi luò hòu lái
诸葛亮病逝五丈原后，蜀国国力渐渐衰落。后来，
wèi jūn dà jǔ jìn fàn shǔ dì hòu zhǔ liú shàn nuò ruò wú néng hái méi dǐ kàng jǐ xià
魏军大举进犯蜀地，后主刘禅懦弱无能，还没抵抗几下
jiù tóu xiáng le
就投降了。

jǐn jiē zhe sī mǎ zhāo yǐ wèi yuán dì de míng yì bǎ liú shàn jiē dào luò yáng
紧接着，司马昭以魏元帝的名义把刘禅接到洛阳，
fēng tā wéi ān lè gōng hái shǎng cì gěi tā huá lì de zhù zhái yī bǎi duō míng pú rén
封他为安乐公，还赏赐给他华丽的住宅，一百多名仆人，
hái àn yuè gěi tā fèng lù
还按月给他俸禄。

yī cì sī mǎ zhāo shè yàn zhāo dài liú shàn hé shǔ guó guī xiáng de guān yuán yàn
一次，司马昭设宴招待刘禅和蜀国归降的官员，宴
huì shang yǎn zòu de shì shǔ guó de yīn yuè tiào de shì shǔ guó de wǔ dǎo shǔ guó
会上演奏的是蜀国的音乐，跳的是蜀国的舞蹈。蜀国
guān yuán xiǎng dào zì jǐ de guó jiā yǐ jīng yì zhǔ xīn lǐ dōu hěn nán guò wéi dú liú
官员想到自己的国家已经易主，心里都很难过，唯独刘
shàn kàn de jīn jīn yǒu wèi liǎn shang lù chū xǐ yuè de shén sè
禅看得津津有味，脸上露出喜悦的神色。

sī mǎ zhāo shì tan zhe wèn liú shàn nǐ hái xiǎng niàn shǔ dì ma
司马昭试探着问刘禅：“你还想念蜀地吗？”

liú shàn bù jiǎ sī suǒ de huí dá wǒ zài zhè lǐ hěn kuài lè yī diǎn dōu
刘禅不假思索地回答："我在这里很快乐，一点都
bù sī niàn shǔ dì le
不思念蜀地了。"

sī mǎ zhāo jiàn liú shàn rú cǐ wō nang bù zài jiè bèi yóu zhe tā zài wèi guó
司马昭见刘禅如此窝囊，不再戒备，由着他在魏国
jìn qíng xiǎng lè méi guò duō jiǔ sī mǎ zhāo yīn bìng qù shì gōng yuán nián
尽情享乐。没过多久，司马昭因病去世。公元265年，
tā de ér zi sī mǎ yán fèi diào le wèi yuán dì jiàn lì jìn cháo shǐ chēng xī jìn
他的儿子司马炎废掉了魏元帝，建立晋朝，史称"西晋"。
sī mǎ yán jiù shì jìn wǔ dì
司马炎就是晋武帝。

cǐ shí wèi shǔ wú sān guó zhǐ shèng xià dōng wú dōng wú guó jūn sūn xiū
此时，魏、蜀、吴三国只剩下东吴。东吴国君孙休
liào dìng sī mǎ yán chí zǎo huì pài bīng lái gōng zhěng rì yōu xīn chōng chōng zuì hòu bìng sǐ
料定司马炎迟早会派兵来攻，整日忧心忡忡，最后病死
le tā de zhí zi sūn hào bèi lì wéi dì
了。他的侄子孙皓被立为帝。

sūn hào zhěng rì chén mí yú jiǔ sè gēn běn bù lǐ cháo zhèng ér qiě xìng gé cán
孙皓整日沉迷于酒色，根本不理朝政，而且性格残
bào cháng cháng duì jìn yán guī quàn de zhōng chén shī yǐ kù xíng nòng de cháo tíng shàng xià
暴，常常对进言规劝的忠臣施以酷刑，弄得朝廷上下
rén xīn huáng huáng
人心惶惶。

jìn guó rèn wéi yīng gāi chèn zhè ge jī huì tǎo fá wú guó fǒu zé rì hòu wú guó
晋国认为应该趁这个机会讨伐吴国，否则日后吴国
huàn le xián néng de jūn zhǔ guó lì qiáng shèng qǐ lái xiǎng yào xiāo miè jiù nán le
换了贤能的君主，国力强盛起来，想要消灭就难了。

gōng yuán nián jìn wǔ dì diào jí shuǐ lù bīng mǎ gòng èr shí wàn zhàn chuán
公元279年，晋武帝调集水陆兵马共二十万，战船

shù wàn sōu bīng fēn liù lù shuǐ lù qí jìn hào hào dàngdàng kāi xiàng dōng wú
数万艘，兵分六路，水陆齐进，浩浩荡荡开向东吴。

xiāo xi chuán lái sūn hào dà jīng lián máng zhào jí zhòng guān yuán shāng tǎo tuì bīng
消息传来，孙皓大惊，连忙召集众官员商讨退兵

dà jì chéng xiàng zhāng tì shuō kě yǐ pài wǔ yán jiāng jūn wéi dū du shuài bīng gōng
大计。丞相张悌说：“可以派伍延将军为都督，率兵攻

dǎ jiāng líng pài sūn xīn jìn jūn xià kǒu wǒ jiāng zuò wéi jūn shī yǔ zuǒ jiāng jūn shěn
打江陵，派孙歆进军夏口。我将作为军师，与左将军沈

yíng yòu jiāng jūn zhū gě jìng zài niú zhǔ zhè ge dì fang jiē yìng gè lù jūn mǎ
莹、右将军诸葛靓在牛渚这个地方接应各路军马。”

sūn hào cǎi nà le zhāng tì de jiàn yì kě xīn zhōng de yōu lǜ bìng wèi xiāo chú
孙皓采纳了张悌的建议，可心中的忧虑并未消除，

shuō jìn guó dà jiàng wáng jùn zhè cì shuài lǐng jǐ wàn dà jūn qián lái ér qiě zào le
说：“晋国大将王濬这次率领几万大军前来，而且造了

hěn duō zhàn chuán wǒ men de shuǐ jūn kǒng pà nán yǐ zhāo jià a
很多战船，我们的水军恐怕难以招架啊！”

dà chén cén hūn shàng qián xiàn jì shuō chén yǒu yī gè zhǔ yi jiāng nán de tiě
大臣岑昏上前献计说：“臣有一个主意。江南的铁
fēi cháng duō kě yòng tiě dǎ chéng shù bǎi zhàng cháng de tiě liàn lán zài jiāng miàn shang fēng
非常多，可用铁打成数百丈长的铁链，拦在江面上，封
suǒ cháng jiāng tóng shí zài dǎ zào shù wàn gè tiě zhuī jiān tóu cháo shàng ān zhì zài shuǐ
锁长江。同时，再打造数万个铁锥，尖头朝上安置在水
zhōng rú guǒ dí jūn de zhàn chuán chéng fēng shùn liú ér lái pèng dào tiě zhuī yī dìng huì
中，如果敌军的战船乘风顺流而来，碰到铁锥一定会
pò sǔn xià chén yòu zěn me néng dù jiāng ne
破损下沉，又怎么能渡江呢？”

sūn hào tīng le lián lián kuā jiǎng cén hūn de bàn fǎ hǎo lì kè xià lìng gōng jiàng
孙皓听了，连连夸奖岑昏的办法好，立刻下令工匠
men lián yè dǎ zào tiě liàn tiě zhuī
们连夜打造铁链、铁锥。

wáng jùn shuài lǐng shuǐ jūn yán jiāng dōng xià jìn rù xī líng xiá shí guǒ zhēn yù shàng
王濬率领水军沿江东下，进入西陵峡时，果真遇上
le lán jiāng tiě liàn hé shuǐ xià tiě zhuī bù guò wáng jùn hěn kuài jiù xiǎng dào le yìng duì
了拦江铁链和水下铁锥。不过，王濬很快就想到了应对
bàn fǎ tā mìng rén fàng chū jǐ shí zhī dà mù fá zhè xiē mù fá shùn liú ér xià
办法：他命人放出几十只大木筏，这些木筏顺流而下，
bǎ tiě zhuī dài zǒu kāi pì chū yī tiáo tōng dào rán hòu yòu zuò le xǔ duō guàn mǎn má
把铁锥带走，开辟出一条通道。然后又做了许多灌满麻
yóu de dà huǒ jù fàng zài chuán shang yù dào tiě liàn jiù diǎn rán huǒ jù měng shāo
油的大火炬，放在船上，遇到铁链，就点燃火炬，猛烧
tiě liàn zhí dào tiě liàn róng duàn chén rù jiāng xīn
铁链，直到铁链熔断，沉入江心。

tū pò zhàng ài hòu wáng jùn shuài lǐng shuǐ jūn shùn chàng qián xíng hé jìn jūn lù jūn
突破障碍后，王濬率领水军顺畅前行，和晋军陆军

mì qiè pèi hé bǎ dōng wú jūn duì dǎ de luò huā liú shuǐ háo wú zhāo jià zhī lì
密切配合，把东吴军队打得落花流水，毫无招架之力。
dōng wú rén mǎ fēn fēn tóu xiáng
东吴人马纷纷投降。

wáng jùn shuài shuǐ jūn yī lù qián jìn shì rú pò zhú hěn kuài dǎ dào dōng wú de
王濬率水军一路前进，势如破竹，很快打到东吴的
dū chéng jiàn yè jìn jūn shuǐ jūn shù wàn rén zhàn chuán mián yán bǎi lǐ bǎ jiàn yè tuán
都城建业。晋军水军数万人，战船绵延百里，把建业团
tuán wéi zhù rì yè měng gōng
团围住，日夜猛攻。

sūn hào jiàn bīng lín chéng xià bài jú yǐ dìng zhǐ dé shuài wén wǔ bǎi guān dào wáng
孙皓见兵临城下，败局已定，只得率文武百官到王
jùn de jūn yíng qián tóu xiáng
濬的军营前投降。

gōng yuán nián sī mǎ yán píng dìng dōng wú jiù zhè yàng sān guó fēn lì
公元280年，司马炎平定东吴。就这样，三国分立
de shí dài jié shù jìn wǔ dì sī mǎ yán tǒng yī le tiān xià
的时代结束，晋武帝司马炎统一了天下。

# 祖逖、刘琨闻鸡起舞

ZU TI LIU KUN WEN JI QI WU

xī jìn mò qī cháo tíng fǔ bài huáng zú zhī jiān nèi luàn bù duàn zài jiā shàng
西晋末期，朝廷腐败，皇族之间内乱不断，再加上
lián nián jī huang bǎi xìng shēng huó fēi cháng kùn kǔ zhǐ dé sì chù liú wáng
连年饥荒，百姓生活非常困苦，只得四处流亡。

běi fāng de xiōng nú rèn wéi zhè shì yī gè qiǎng zhàn zhōng yuán de hǎo shí jī jiù
北方的匈奴认为这是一个抢占中原的好时机，就
chèn jī bù duàn nán xià sāo rǎo zhè shí hou réng rán yǒu xǔ duō jìn cháo jiàng lǐng jiān shǒu
趁机不断南下骚扰。这时候，仍然有许多晋朝将领坚守
běi fāng lǐng tǔ yīng yǒng kàng jī xiōng nú liú kūn hé zǔ tì jiù shì qí zhōng zuì wéi zhù
北方领土，英勇抗击匈奴，刘琨和祖逖就是其中最为著
míng de rén wù
名的人物。

zǔ tì zì xiǎo mù dǔ guó tǔ lún xiàn de cǎn zhuàng xià dìng jué xīn fā fèn xué
祖逖自小目睹国土沦陷的惨状，下定决心发奋学
xí jiāng lái bǎo jiā wèi guó zhǎng dà hòu zǔ tì hé hǎo péng you liú kūn zài sī zhōu
习，将来保家卫国。长大后，祖逖和好朋友刘琨在司州
dāng xiǎo guān liǎng rén dōu fēi cháng guān xīn guó shì tā men hù xiāng jī lì jué xīn yào
当小官。两人都非常关心国事，他们互相激励，决心要
gàn yī fān hōng hōng liè liè de shì yè
干一番轰轰烈烈的事业。

yī tiān yè lǐ zǔ tì hé liú kūn xiàng wǎng cháng yī yàng tǎng zài chuáng shang jiāo tán
一天夜里，祖逖和刘琨像往常一样躺在床上交谈。

liú kūn tàn xī shuō xiàn zài cháo zhèng hùn luàn xiōng nú yòu bù duàn qīn rǎo yě
刘琨叹息说：“现在朝政混乱，匈奴又不断侵扰，也
méi yǒu rén guān xīn guó jiā dà shì hé bǎi xìng jí kǔ zài zhè yàng xià qù guó jiā kǒng
没有人关心国家大事和百姓疾苦。再这样下去，国家恐
pà jiù yào miàn lín sì fēn wǔ liè de cǎn zhuàng le
怕就要面临四分五裂的惨状了。”

zǔ tì shuō bié tài dān xīn guān xīn guó jiā dà shì hé bǎi xìng de rén hái
祖逖说：“别太担心，关心国家大事和百姓的人还
shi yǒu de jiù xiàng nǐ hé wǒ zhǐ yào wǒ men fā fèn nǔ lì xué hǎo běn lǐng
是有的，就像你和我。只要我们发奋努力，学好本领，
yī dìng néng wèi guó xiào lì
一定能为国效力。”

liǎng rén jiù zhè me liáo a liáo yī zhí liáo dào gōng jī dōu dǎ míng le zǔ tì
两人就这么聊啊聊，一直聊到公鸡都打鸣了。祖逖
shuō nǐ tīng jī dōu jiào le wǒ men bù rú zǎo diǎn qǐ lái liàn wǔ ba liú
说：“你听，鸡都叫了，我们不如早点起来练武吧！”刘
kūn fēi cháng zàn tóng liǎng rén pī yī xià chuáng
琨非常赞同，两人披衣下床，
lái dào yuàn zi li
来到院子里，
bá jiàn qǐ wǔ
拔剑起舞。

从此以后，无论严寒酷暑，还是刮风下雨，只要鸡一叫，祖逖和刘琨就会精神抖擞地起来练武。因为坚持不懈，两人练得一身好武艺，后来成为有名的将军。

公元308年，晋怀帝任命刘琨为并州刺史。当时并州久经战乱，百姓大多逃亡在外。刘琨带着一千多名士兵来到并州的晋阳。

晋阳城里一片荒凉，到处是断壁残垣。刘琨非常难过，一面叫人修复城池，一面加强防守，以防匈奴军

duì lái xí cǐ wài liú kūn hái bǎ liú wáng de bǎi xìng zhào jí huí lái gēng zhòng huāng
队来袭。此外，刘琨还把流亡的百姓召集回来耕种荒
dì bù dào yī nián shí jiān jìn yáng chéng dào chù kě yǐ tīng dào jī míng gǒu jiào de
地。不到一年时间，晋阳城到处可以听到鸡鸣狗叫的
shēng yīn jiàn jiàn huī fù le fán róng de jǐng xiàng
声音，渐渐恢复了繁荣的景象。

hòu lái běi fāng de qián zhào guó huáng dì liú cōng gōng pò le xī jìn guó dū luò
后来，北方的前赵国皇帝刘聪攻破了西晋国都洛
yáng jìn huái dì bèi fú liǎng nián hòu yòu bèi liú cōng yòng dú jiǔ shā hài jìn huái dì
阳，晋怀帝被俘，两年后又被刘聪用毒酒杀害。晋怀帝
sǐ hòu jìn mǐn dì zài cháng ān jí wèi fēng liú kūn wéi dà jiāng jūn mìng lìng tā jì
死后，晋愍帝在长安即位，封刘琨为大将军，命令他继
xù zài bīng zhōu zhàn dòu xià qù
续在并州战斗下去。

zhè shí liú cōng hé dà jiàng shí lè shuài lǐng le jǐ shí wàn dà jūn cóng nán běi
这时，刘聪和大将石勒率领了几十万大军，从南北
liǎng miàn jiā jī bīng zhōu miàn duì zhè yī wēi xiǎn de jú shì liú kūn méi yǒu tuì suō
两面夹击并州。面对这一危险的局势，刘琨没有退缩，
hái xiàng jìn mǐn dì lì xià shì yán bù xiāo miè liú cōng shí lè chén shì bù bà xiū
还向晋愍帝立下誓言：“不消灭刘聪、石勒，臣誓不罢休！”

shí lè pài bīng jìn gōng lè píng de shí hou liú kūn de bù duì qián qù jiù yuán
石勒派兵进攻乐平的时候，刘琨的部队前去救援，
bèi shí lè yù xiān mái fú hǎo de jīng bīng dǎ de jī hū quán jūn fù mò
被石勒预先埋伏好的精兵打得几乎全军覆没。

hòu lái liú kūn shuài jūn zhuǎn zhàn gè dì qǐ tú wǎn huí xī jìn wáng cháo de
后来，刘琨率军转战各地，企图挽回西晋王朝的
wēi jú dàn zuì zhōng méi yǒu chéng gōng gōng yuán nián liú cōng gōng pò cháng ān
危局，但最终没有成功。公元316年，刘聪攻破长安，
huó zhuō le jìn mǐn dì xī jìn miè wáng
活捉了晋愍帝，西晋灭亡。

# 陈后主骄奢亡国

CHEN HOU ZHU JIAO SHE WANG GUO

公元557年，梁朝交州司马陈霸先废掉梁朝皇帝，自己登上帝位，改国号为陈，他就是陈武帝。与此同时，新兴的北周政权已经消灭了北齐，统一了北方。

和宋、齐、梁一样，陈朝也是个短命的王朝。当皇位传到第三代时，陈朝统治者内部开始相互倾轧，大片国土落到北周的版图之中。

公元582年，陈朝的第五个皇帝陈叔宝即位，他就是后人所说的陈后主。陈后主为人荒唐，是个完全不懂国事、只知道享乐的人。他大兴土木，建造了三座豪华的楼阁，让自己的宠妃住在里面。而他身边的宰相江总、尚书孔范等，也只会逢迎拍马，完全不加规劝。

chén hòu zhǔ hái jīng cháng dài zhe yī bān wén chén yàn yóu tā men bǎ jiǔ yín shī
陈后主还经常带着一班文臣宴游。他们把酒吟诗，

yī dàn xiě chū wén cǎi yàn lì de shī jiù pèi shàng qǔ zi ràng gōng nǚ men yǎn chàng
一旦写出文采艳丽的诗，就配上曲子，让宫女们演唱。

zhè xiē zuò pǐn zhōng yǐ chén hòu zhǔ chuàng zuò de yù shù hòu tíng huā zuì wéi yǒu míng
这些作品中，以陈后主创作的《玉树后庭花》最为有名。

yào wéi chí zhè zhǒng shē mí de shēng huó dāng rán xū yào dà liàng de yín zi wèi
要维持这种奢靡的生活，当然需要大量的银子，为

cǐ chén hòu zhǔ dào chù sōu guā mín zhī mín gāo bǎi xìng zài chén hòu zhǔ de bō xuē xià
此陈后主到处搜刮民脂民膏。百姓在陈后主的剥削下

shēng huó de shí fēn kùn kǔ jīng cháng yǒu rén è sǐ dòng
生活得十分困苦，经常有人饿死、冻

sǐ zài lù shang
死在路上。

ér zài gōng yuán nián běi zhōu yǐ bèi yáng jiān jiàn
而在公元581年，北周已被杨坚建

lì de suí cháo qǔ dài yáng jiān jiù shì suí wén dì
立的隋朝取代。杨坚就是隋文帝，

tā jiàn zì jǐ guó jiā de shí lì
他见自己国家的实力

yī tiān tiān zēng
一天天增

强，而陈朝却政治腐败，民怨滔天，知道灭掉陈朝的时机已到。他命儿子杨广率领五十万大军渡江进攻陈朝。

隋军乘坐大船沿着长江浩浩荡荡东下。陈朝的哨兵发现敌情后慌乱不已，接连向朝廷发出告急警报。陈后主当时正跟宠妃、文人们玩得高兴，根本没把警报当一回事，他语气轻松地说：“东南是个福地，从前齐军和周军屡来冒犯，都失败了。这次隋军来也会如此，没什么可怕的！”说完，继续饮酒作乐。

公元589年，隋军顺利横渡长江，来到建康城下。到了这个危急关头，陈后主才惊醒过来。不过，他一向怯懦无能，对军事一窍不通，尽管城里还有十几万人马，他也视而不见，只知道哭哭啼啼。结果，隋军不费吹灰之力就攻下了建康城。

隋军打进皇宫，到处找不到陈后主。后来问了几个被俘的太监，才知道陈后主带着两个宠妃逃到后殿

tóu jǐng le　suí jūn shì bīng zhǎo dào hòu diàn　guǒ rán fā xiàn yī kǒu kū jǐng　hái yǐn
投井了。隋军士兵找到后殿，果然发现一口枯井，还隐

yuē kàn dào jǐng li yǒu rén　jiù gāo shēng hū hǎn　kě méi rén dā ying
约看到井里有人，就高声呼喊，可没人答应。

shì bīng men bù gān xīn　wēi hè dào　zài bù huí dá　wǒ men jiù wǎng jǐng li
士兵们不甘心，威吓道：“再不回答，我们就往井里

rēng shí tou le　shuō zhe　zhēn de bān qǐ yī kuài dà shí tou fàng zài jǐng kǒu　zhuāng chū
扔石头了。”说着，真的搬起一块大石头放在井口，装出

yào rēng de yàng zi
要扔的样子。

jǐng li de chén hòu zhǔ xià de jiān jiào qǐ lái　shì
井里的陈后主吓得尖叫起来。士

bīng men bǎ shéng suǒ diū dào jǐng li　jiāng chén hòu zhǔ děng rén
兵们把绳索丢到井里，将陈后主等人

lā le shàng lái　rán hòu yā sòng dào dū chéng
拉了上来，然后押送到都城。

jiù zhè yàng　chén cháo miè wáng　suí cháo tǒng yī le
就这样，陈朝灭亡，隋朝统一了

tiān xià　suí wén dì jiàn chén hòu zhǔ bèi fú zhī hòu
天下。隋文帝见陈后主被俘之后

hái shi chén mí xiǎng lè　háo wú fù guó zhī xīn
还是沉迷享乐，毫无复国之心，

jiù méi yǒu wéi nán tā　hái shǎng gěi tā yī zuò
就没有为难他，还赏给他一座

zhù zhái yǎng lǎo　chén hòu zhǔ zuì zhōng bìng
住宅养老。陈后主最终病

sǐ zài dōng dū luò yáng
死在东都洛阳。

# 隋炀帝修大运河

SUI YANG DI XIU DA YUN HE

suí wén dì gòng yǒu wǔ gè ér zi qí zhōng zhǎng zǐ yáng yǒng bèi lì wéi tài zǐ
隋文帝共有五个儿子，其中长子杨勇被立为太子。
duì cǐ suí wén dì de cì zǐ yáng guǎng hěn bù gān xīn
对此，隋文帝的次子杨广很不甘心。

yáng guǎng wéi rén yīn xiǎn jiǎo zhà shēng huó shē mí bù guò tā zhī dào suí wén dì
杨广为人阴险狡诈，生活奢靡，不过他知道隋文帝
chóng shàng jié jiǎn jiù biǎo miàn shang zhuāng chū yī fù pǔ sù jié jiǎn de yàng zi piàn
崇尚节俭，就表面上装出一副朴素、节俭的样子，骗
qǔ suí wén dì de xìn rèn tā hái xiǎng fāng shè fǎ de xiàn hài gē ge yáng yǒng shǐ
取隋文帝的信任。他还想方设法地陷害哥哥杨勇，使
suí wén dì duì yáng yǒng xīn shēng yàn wù zuì zhōng fèi le yáng yǒng gǎi lì tā wéi tài zǐ
隋文帝对杨勇心生厌恶，最终废了杨勇，改立他为太子。

suí wén dì sǐ hòu yáng guǎng rú yuàn jí wèi shǐ chēng suí yáng dì suí yáng dì
隋文帝死后，杨广如愿即位，史称隋炀帝。隋炀帝
dēng jī cái sì gè yuè jiù jué dìng bǎ dū chéng qiān dào luò yáng hái pài dāng shí guǎn lǐ
登基才四个月，就决定把都城迁到洛阳，还派当时管理
jiàn zhù gōng chéng de dà chén yǔ wén kǎi fù zé xiū jiàn luò yáng chéng
建筑工程的大臣宇文恺负责修建洛阳城。

yǔ wén kǎi shēn zhī suí yáng dì xǐ huan shē mí wèi le yíng hé tā yǔ wén kǎi
宇文恺深知隋炀帝喜欢奢靡，为了迎合他，宇文恺
gù yì bǎ gōng chéng guī mó gǎo de tè bié hóng dà dāng shí jiàn zào gōng diàn xuǎn yòng de
故意把工程规模搞得特别宏大。当时建造宫殿选用的

<ruby>一<rt>yī</rt></ruby><ruby>流<rt>liú</rt></ruby><ruby>木<rt>mù</rt></ruby><ruby>材<rt>cái</rt></ruby>、<ruby>石<rt>shí</rt></ruby><ruby>料<rt>liào</rt></ruby>，<ruby>都<rt>dōu</rt></ruby><ruby>是<rt>shì</rt></ruby><ruby>从<rt>cóng</rt></ruby><ruby>长<rt>cháng</rt></ruby><ruby>江<rt>jiāng</rt></ruby><ruby>以<rt>yǐ</rt></ruby><ruby>南<rt>nán</rt></ruby>、<ruby>五<rt>wǔ</rt></ruby><ruby>岭<rt>lǐng</rt></ruby><ruby>以<rt>yǐ</rt></ruby><ruby>北<rt>běi</rt></ruby><ruby>运<rt>yùn</rt></ruby><ruby>过<rt>guò</rt></ruby><ruby>去<rt>qù</rt></ruby><ruby>的<rt>de</rt></ruby>。<ruby>限<rt>xiàn</rt></ruby><ruby>于<rt>yú</rt></ruby><ruby>当<rt>dāng</rt></ruby><ruby>时<rt>shí</rt></ruby><ruby>的<rt>de</rt></ruby><ruby>运<rt>yùn</rt></ruby><ruby>载<rt>zài</rt></ruby><ruby>条<rt>tiáo</rt></ruby><ruby>件<rt>jiàn</rt></ruby>，<ruby>一<rt>yī</rt></ruby><ruby>根<rt>gēn</rt></ruby><ruby>梁<rt>liáng</rt></ruby><ruby>柱<rt>zhù</rt></ruby><ruby>就<rt>jiù</rt></ruby><ruby>得<rt>děi</rt></ruby><ruby>花<rt>huā</rt></ruby><ruby>上<rt>shàng</rt></ruby><ruby>千<rt>qiān</rt></ruby><ruby>人<rt>rén</rt></ruby><ruby>之<rt>zhī</rt></ruby><ruby>力<rt>lì</rt></ruby>。<ruby>为<rt>wèi</rt></ruby><ruby>了<rt>le</rt></ruby><ruby>早<rt>zǎo</rt></ruby><ruby>日<rt>rì</rt></ruby><ruby>建<rt>jiàn</rt></ruby><ruby>好<rt>hǎo</rt></ruby><ruby>洛<rt>luò</rt></ruby><ruby>阳<rt>yáng</rt></ruby><ruby>城<rt>chéng</rt></ruby>，<ruby>官<rt>guān</rt></ruby><ruby>府<rt>fǔ</rt></ruby><ruby>每<rt>měi</rt></ruby><ruby>月<rt>yuè</rt></ruby><ruby>征<rt>zhēng</rt></ruby><ruby>用<rt>yòng</rt></ruby><ruby>两<rt>liǎng</rt></ruby><ruby>百<rt>bǎi</rt></ruby><ruby>万<rt>wàn</rt></ruby><ruby>民<rt>mín</rt></ruby><ruby>工<rt>gōng</rt></ruby>，<ruby>日<rt>rì</rt></ruby><ruby>夜<rt>yè</rt></ruby><ruby>不<rt>bù</rt></ruby><ruby>停<rt>tíng</rt></ruby><ruby>地<rt>de</rt></ruby><ruby>劳<rt>láo</rt></ruby><ruby>作<rt>zuò</rt></ruby>，<ruby>累<rt>lèi</rt></ruby><ruby>死<rt>sǐ</rt></ruby><ruby>在<rt>zài</rt></ruby><ruby>工<rt>gōng</rt></ruby><ruby>地<rt>dì</rt></ruby><ruby>上<rt>shang</rt></ruby><ruby>的<rt>de</rt></ruby><ruby>人<rt>rén</rt></ruby><ruby>不<rt>bù</rt></ruby><ruby>计<rt>jì</rt></ruby><ruby>其<rt>qí</rt></ruby><ruby>数<rt>shù</rt></ruby>。

<ruby>为<rt>wèi</rt></ruby><ruby>了<rt>le</rt></ruby><ruby>加<rt>jiā</rt></ruby><ruby>强<rt>qiáng</rt></ruby><ruby>对<rt>duì</rt></ruby><ruby>全<rt>quán</rt></ruby><ruby>国<rt>guó</rt></ruby><ruby>的<rt>de</rt></ruby><ruby>控<rt>kòng</rt></ruby><ruby>制<rt>zhì</rt></ruby>，<ruby>并<rt>bìng</rt></ruby><ruby>使<rt>shǐ</rt></ruby><ruby>江<rt>jiāng</rt></ruby><ruby>南<rt>nán</rt></ruby><ruby>富<rt>fù</rt></ruby><ruby>庶<rt>shù</rt></ruby><ruby>之<rt>zhī</rt></ruby><ruby>地<rt>dì</rt></ruby><ruby>的<rt>de</rt></ruby><ruby>财<rt>cái</rt></ruby><ruby>物<rt>wù</rt></ruby><ruby>更<rt>gèng</rt></ruby><ruby>方<rt>fāng</rt></ruby><ruby>便<rt>biàn</rt></ruby><ruby>地<rt>de</rt></ruby><ruby>运<rt>yùn</rt></ruby><ruby>到<rt>dào</rt></ruby><ruby>北<rt>běi</rt></ruby><ruby>方<rt>fāng</rt></ruby>，<ruby>以<rt>yǐ</rt></ruby><ruby>满<rt>mǎn</rt></ruby><ruby>足<rt>zú</rt></ruby><ruby>自<rt>zì</rt></ruby><ruby>己<rt>jǐ</rt></ruby><ruby>奢<rt>shē</rt></ruby><ruby>靡<rt>mí</rt></ruby><ruby>的<rt>de</rt></ruby><ruby>生<rt>shēng</rt></ruby><ruby>活<rt>huó</rt></ruby>，<ruby>隋<rt>suí</rt></ruby><ruby>炀<rt>yáng</rt></ruby><ruby>帝<rt>dì</rt></ruby><ruby>下<rt>xià</rt></ruby><ruby>令<rt>lìng</rt></ruby><ruby>开<rt>kāi</rt></ruby><ruby>凿<rt>záo</rt></ruby><ruby>大<rt>dà</rt></ruby><ruby>运<rt>yùn</rt></ruby><ruby>河<rt>hé</rt></ruby>。

<ruby>起<rt>qǐ</rt></ruby><ruby>初<rt>chū</rt></ruby>，<ruby>朝<rt>cháo</rt></ruby><ruby>廷<rt>tíng</rt></ruby><ruby>在<rt>zài</rt></ruby><ruby>河<rt>hé</rt></ruby><ruby>南<rt>nán</rt></ruby>、<ruby>淮<rt>huái</rt></ruby><ruby>北<rt>běi</rt></ruby><ruby>各<rt>gè</rt></ruby><ruby>地<rt>dì</rt></ruby><ruby>征<rt>zhēng</rt></ruby><ruby>用<rt>yòng</rt></ruby><ruby>了<rt>le</rt></ruby><ruby>一<rt>yī</rt></ruby><ruby>百<rt>bǎi</rt></ruby><ruby>多<rt>duō</rt></ruby><ruby>万<rt>wàn</rt></ruby><ruby>人<rt>rén</rt></ruby>，

从洛阳西苑到淮水南岸的山阳开通了一条运河，名叫“通济渠”。随后，朝廷又征用十多万淮南百姓，从山阳到江都，把一条春秋时期由吴王夫差下令开凿的运河——邗沟疏通。这样一来，从洛阳到江南的水路交通就十分便利了。

没过多久，隋炀帝又两次征用民工继续修建运河，一条是从洛阳的黄河北岸到涿郡的“永济渠”；一条是从江都附近的京口到余杭的“江南河”。

最后，这四条运河连接起来，就成了一条贯通南北、全长四千里的“京杭大运河”。这条大运河对我国经济、文化的发

zhǎn hé guó jiā de tǒng yī qǐ dào le zhòng yào zuò yòng dàn tóng shí yě shì chéng qiān shàng
展和国家的统一起到了重要作用，但同时也是成千上
wàn bǎi xìng yòng xuè hàn shèn zhì shēng mìng huàn lái de
万百姓用血汗，甚至生命换来的。

dà yùn hé gāng yī jiàn chéng suí yáng dì jiù pò bù jí dài de xún yóu jiāng dū
大运河刚一建成，隋炀帝就迫不及待地巡游江都。
tā hé huáng hòu fēn bié chéng zuò liǎng sōu sì céng gāo de dà lóng chuán chuán shang zhuāng shì de
他和皇后分别乘坐两艘四层高的大龙船，船上装饰得
xiàng huáng gōng yī yàng jīn bì huī huáng jiē zhe shì huáng fēi gōng nǚ wáng gōng guì zú wén
像皇宫一样金碧辉煌；接着是皇妃宫女、王公贵族、文
wǔ bǎi guān fēn chéng de jǐ qiān sōu cǎi chuán gēn zài zuì hòu de shì zhuāng zài wèi bīng hé
武百官分乘的几千艘彩船；跟在最后的是装载卫兵和
hòu qín wù pǐn de jǐ qiān sōu dà chuán zhè zhī hào hào dàng dàng de chuán duì zài yùn hé
后勤物品的几千艘大船。这支浩浩荡荡的船队在运河
li pái kāi qián hòu mián yán liǎng bǎi duō lǐ chǎng miàn fēi cháng zhuàng guān
里排开，前后绵延两百多里，场面非常壮观。

wèi le bǎo zhèng rú cǐ páng dà de chuán duì shùn lì háng xíng cháo tíng zhēng yòng le
为了保证如此庞大的船队顺利航行，朝廷征用了
bā wàn duō míng mín gōng fù zé lā qiàn hái yǒu liǎng duì qí bīng jiā àn hù sòng chuán
八万多名民工负责拉纤，还有两队骑兵夹岸护送。船
duì měi tíng kào yī gè dì fang dāng dì de guān yuán jiù bī zhe lǎo bǎi xìng zhǔn bèi jiǔ xí
队每停靠一个地方，当地的官员就逼着老百姓准备酒席
zhāo dài nà xiē bèi pò xiàn shí de
招待。那些被迫献食的

bǎi xìng cháng cháng bèi nòng de qīng jiā dàng chǎn
百姓常常被弄得倾家荡产。

dǎ zhè yǐ hòu suí yáng dì jī hū měi nián dōu yào chū xún yǒu yī cì tā
打这以后，隋炀帝几乎每年都要出巡。有一次，他
yào dào běi fāng xún yóu jiù mìng rén xiū jiàn le shù qiān lǐ de yù dào wèi le bǎo zhèng
要到北方巡游，就命人修建了数千里的御道。为了保证
zì jǐ de ān quán tā hái zhēng yòng yī bǎi wàn mín gōng zhòu yè bù xiē de gǎn gōng xiū
自己的安全，他还征用一百万民工昼夜不歇地赶工修
zhù cháng chéng zhí dào cháng chéng zhù hǎo tā cái zài wǔ shí wàn jiàng shì de hù wèi xià
筑长城，直到长城筑好，他才在五十万将士的护卫下
zài běi fāng biān jìng xún yóu le yī quān
在北方边境巡游了一圈。

suí yáng dì rú cǐ shē chǐ yǐn qǐ le guǎng dà mín zhòng de bù mǎn zài jiā
隋炀帝如此奢侈，引起了广大民众的不满。再加
shàng wú xiū wú zhǐ de láo yì hé yuè lái yuè zhòng de fù shuì yā de bǎi xìng chuǎn bù
上无休无止的劳役和越来越重的赋税，压得百姓喘不
guò qì lái zhè yī qiè dōu wèi suí cháo de miè wáng mái
过气来。这一切，都为隋朝的灭亡埋
xià le fú bǐ
下了伏笔。

# 瓦岗军起义

WA GANG JUN QI YI

隋炀帝除了生活奢靡，还好大喜功。为了炫耀武功，他四处征战。公元612年，隋炀帝出兵百余万攻打高丽，被打得大败，死伤惨重，逃回来的只有两千七百人。

可隋炀帝并不死心，一年后，他亲自率兵再征高丽，大臣杨玄感负责督运粮草。杨玄感的父亲杨素曾帮助隋炀帝夺取皇位，后来却遭到猜忌抑郁而终。杨玄感对此怀恨在心，他把运送粮草的八千民工组织起来，打算起义推翻隋炀帝。

杨玄感找来老朋友李密当谋士。李密原是隋炀帝的宫廷侍卫，因为过分机灵，被隋炀帝认为不老实而免了差使。他回家后，发愤读书，成了一个很有学问的人。

lǐ mì hé yáng xuán gǎn yī pāi jí hé jué dìng fā dòng qǐ yì
李密和杨玄感一拍即合，决定发动起义。

qǐ yì jūn lián dǎ le jǐ cháng shèng zhàng duì wu xùn sù kuò dà dào shí wàn
起义军连打了几场胜仗，队伍迅速扩大到十万。

suí yáng dì tīng wén cǐ shì bó rán dà nù lì jí pài dà jiàng yǔ wén shù dài bīng zhèn
隋炀帝听闻此事，勃然大怒，立即派大将宇文述带兵镇
yā hěn kuài jiù jiāng qǐ yì duì wu xiāo miè le zuì hòu yáng xuán gǎn diū le xìng mìng
压，很快就将起义队伍消灭了。最后，杨玄感丢了性命，
lǐ mì zé chèn luàn táo le chū qù tóu bèn le dāng shí shí lì bǐ jiào qiáng dà de lìng yī
李密则趁乱逃了出去，投奔了当时实力比较强大的另一
zhī qǐ yì jūn wǎ gāng jūn
支起义军——瓦岗军。

wǎ gāng jūn de shǒu lǐng jiào zhái ràng xiāo yǒng shàn zhàn ér qiě dǎn shí guò rén
瓦岗军的首领叫翟让，骁勇善战，而且胆识过人，
zài qǐ yì jūn zhōng hěn yǒu wēi wàng lǐ mì jiā rù yǐ hòu bāng zhù zhái ràng zhěng dùn
在起义军中很有威望。李密加入以后，帮助翟让整顿
duì wu hái jī jí yóu shuì qí tā qǐ yì jūn tóu bèn
队伍，还积极游说其他起义军投奔

翟让。翟让非常高兴，跟李密渐渐亲近起来。

李密建议翟让要想干一番大事业，首先攻打荥阳，结果获胜了。隋军接连战败，隋炀帝非常愤怒，就派大将张须陀去镇压。

李密知道张须陀是一个有勇无谋、骄傲轻敌的人，就和翟让议定，由翟让正面迎敌，自己则带一千人马在密林里埋伏。

张须陀觉得翟让之流只不过是乌合之众，并不把他们放在眼里，莽撞地指挥人马冲杀过来。翟让抵挡了一阵，假装败退。张须陀追了十多里，正好进入了李密的埋伏圈。李密一声令下，埋伏的瓦岗军将士一齐杀出，把张须陀的人马团团围住，全部消灭。

这次战斗之后，李密在瓦岗军中的威信迅速提高。他不但要求部下严守纪律，而且以身作则，生活上厉行节约，因此拥戴他的人也越来越多。

第二年春天，李密瞅准隋炀帝在江都巡游，东都洛阳空虚的机会，劝翟让发兵洛阳。可是，他们尚未出兵，朝廷就有所察觉，加强了防御。

李密当机立断，建议转而攻打洛阳附近的兴洛仓。兴洛仓是隋朝最大的粮仓，囤积着隋王朝从各地搜刮来的粮食。瓦岗军的将士们一听说去攻打官府的粮仓，群情激奋，个个摩拳擦掌，如猛虎下山般冲向粮仓

shǒu jūn yī jǔ gōng pò xīng luò cāng
守军，一举攻破兴洛仓。

suí hòu wǎ gāng jūn xià lìng lì kè kāi cāng fēn liáng cháng nián rěn jī ái è
随后，瓦岗军下令立刻开仓分粮。常年忍饥挨饿
de bǎi xìng fēng yōng ér zhì kàn zhe lǐng dào de liáng shi yī gè gè jī dòng de yǎn hán
的百姓蜂拥而至，看着领到的粮食，一个个激动得眼含
lèi huā lián lián xiàng wǎ gāng jūn dào xiè
泪花，连连向瓦岗军道谢。

jīng cǐ yī zhàn yuè lái yuè duō de bǎi xìng tóu shēn wǎ gāng jūn qí tā dì fang
经此一战，越来越多的百姓投身瓦岗军，其他地方
de qǐ yì jūn yě fēn fēn qián lái guī fù wǎ gāng jūn hěn kuài jiù fā zhǎn dào jǐ shí wàn
的起义军也纷纷前来归附，瓦岗军很快就发展到几十万
rén zhè shí zhái ràng jué de lǐ mì bǐ zì jǐ yǒu cái néng jiù tuī jǔ lǐ mì dāng
人。这时，翟让觉得李密比自己有才能，就推举李密当
le shǒu lǐng
了首领。

méi xiǎng dào lǐ mì qǔ dé wǎ gāng jūn de lǐng dǎo quán hòu wèi le gǒng gù zì
没想到，李密取得瓦岗军的领导权后，为了巩固自
jǐ de dì wèi shè jì shā hài le zhái ràng cǐ wài tā hái dà liàng qǐ yòng suí cháo
己的地位，设计杀害了翟让。此外，他还大量起用隋朝
de xiáng guān xiáng jiàng zhè xiē zuò fǎ yǐn qǐ le wǎ gāng jūn jiàng shì de jí dù bù
的降官、降将。这些做法引起了瓦岗军将士的极度不
mǎn wǎ gāng jūn nèi bù fā shēng le yán zhòng fēn liè kāi shǐ zǒu xià pō lù
满，瓦岗军内部发生了严重分裂，开始走下坡路。

hòu lái wǎ gāng jūn zài suí jūn de bù duàn dǎ jī xià quán miàn shī bài bù
后来，瓦岗军在隋军的不断打击下，全面失败，不
shǎo jiàng lǐng dōu tóu kào le xīn jiàn de táng cháo zhèng quán
少将领都投靠了新建的唐朝政权。

图书在版编目（CIP）数据

上下五千年.上 / 幼狮文化改编.—杭州：浙江少年儿童出版社，2016.6

（七彩童书坊）

ISBN 978-7-5342-9308-5

Ⅰ.①上… Ⅱ.①幼… Ⅲ.①中国历史—儿童读物 Ⅳ.①K209

中国版本图书馆CIP数据核字（2016）第064630号

七彩童书坊

SHANGXIAWUQIANNIAN

# 上下五千年 上

改编 / 幼狮文化
插图 / 贝贝熊工作室
责任编辑 / 柳红夏
美术编辑 / 楼迎春
责任印制 / 吕鑫
浙江少年儿童出版社出版发行
杭州市天目山路40号 310013
深圳市福圣印刷有限公司印刷
全国各地新华书店经销

开本 / 889mm × 1194mm 1/24
印张 / 9.5
印数 / 1-25120
2016年6月第1版
2016年6月第1次印刷
ISBN 978-7-5342-9308-5
定价 / 23.50元
服务热线 / 020-38312206
幼狮网址 / yosbook.com